Simonne Poirier

Un Journaliste à Hollywood

Éditeur:
Pierre Nadeau

Photo de la couverture:
Keystone

Production:
Annie Tonneau

Conception graphique:
Gaston Dugas

Réviseur:
Francine Fréchette

Composition et mise en pages:
Lithographie du Vieux La Prairie

Distribution:
Agence de Distribution Populaire (ADP)
Tél.: (514) 523-1182

Dépôts légaux, 4ᵉ trimestre 1987
Bibliothèque nationale du Québec
Bibliothèque nationale du Canada

ISBN 2-89301-077-6

Les Éditions de Le Manuscrit
Une division de QUEBECMAG
10 000, rue Lajeunesse, suite 210
Montréal, Québec   H3L 3S3
Tél.: (514) 382-8443

Denis Monette

Un Journaliste à Hollywood

EDITIONS LE MANUSCRIT

Du même auteur

Au Fil Des Sentiments...
mes plus beaux billets   Vol. 1   **Le Manuscrit 1985**

Pour Un Peu d'Espoir...
mes plus beaux billets   Vol. 2   **Le Manuscrit 1986**

À ma fille, Sylvie,
qui a vécu avec moi
quelques moments de
cette féerie.

PROLOGUE

Il aura fallu que Hollywood célèbre son 100e anniversaire pour que ce livre voit le jour. Sachez que ce n'est là que pure coïncidence car au moment d'en écrire les premières lignes, je ne savais pas encore que le rêve de mon enfance était déjà centenaire. Je n'étais certes point là quand Theda Bara, Charlie Chaplin, Greta Garbo et Valentino ont fait leurs premiers pas sur un écran encore muet. J'étais vraiment très jeune quand un John Wayne sortit ses premiers fusils et qu'une Rita Hayworth fit ses débuts aux côtés de Fred Astaire. Mais le temps a passé et j'ai pu voir naître et mourir des étoiles telles James Dean et Natalie Wood. J'ai également pu m'acheminer peu à peu vers ce royaume merveilleux de la magie sans penser un instant qu'un jour... une Jane Russell ou un Anthony Perkins n'aurait plus de secrets pour moi. Je ne croyais vraiment pas qu'une nouvelle génération d'acteurs tels Melissa Gilbert, Christopher Atkins et Ricky Schroder m'ouvriraient leur porte et leur cœur. Au fur et à mesure de ces pages, c'est un envers de médaille très précis que vous allez découvrir avec moi. Je dirais que ce sont les lignes de trop qu'on ne peut inclure dans une entrevue. Cependant, c'est avec honnêteté que j'ouvre les volets sur des anecdotes parfois savoureuses, parfois tristes. Loin de moi l'idée de blesser qui que ce soit, mais la franchise se veut une arme de bon aloi. «Un journaliste à Hollywood», c'est la joie, l'anxiété, le bonheur et l'angoisse de celui qui en supporte le titre. Mais c'est d'abord et avant tout un travail acharné, une persévérance de plusieurs années et la noble fierté d'un défi relevé. Et tout ça, juste au moment où Hollywood se veut centenaire. Dommage que je ne puisse le dire... à ma mère!

LE CINÉMA DE
MON ENFANCE

Maman, maman, c'est où Hollywood?

Tout à fait à l'autre bout de la terre, mon petit Denis.

Dis, est-ce qu'on peut y aller, maman?

Bien non voyons, c'est un pays juste pour les acteurs.

Ça veut dire que ces gens-là n'existent pas?

Oui, ils existent, mais pas dans notre monde. Nous, on peut juste les voir au cinéma, jamais en personne.

Donc, ils ne sont pas vivants?

Mais oui, ils sont vivants, mais ils... et puis, arrête tes questions, j'ai mon lavage à faire et tu comprendras tout ça quand tu seras plus grand!

Ce dialogue, entre ma mère et moi, se passait à la toute fin des années 40 alors que j'avais à peine dix ou onze ans et que j'étais fasciné par tout ce qui était synonyme de Hollywood. Dans ma petite tête d'enfant, tout ça était de la magie ou si vous préférez, un conte de fées qui dépassait de beaucoup Le Chat Botté ou Cendrillon. Je me rendais tous les samedis au sous-sol de l'église St-Alphonse-d'Youville, et là, les yeux plus ronds que des pleines lunes, je regardais Roy Rogers se sortir de toutes les embûches pour ensuite applaudir quand Tarzan sauvait sa Jane du péril. J'étais complètement sidéré et je ne pouvais pas croire que ces acteurs faisaient tout ça pour le tout petit dix sous qu'on versait à l'entrée. À la même époque, mon frère Pierre, qui était déjà sur le marché du travail, avait fait l'acquisition d'une «machine à faire des vues» et j'avais peine à croire qu'il était possible de voir des films même dans sa propre cave. Des films muets, bien entendu, mais des films avec des actrices que ma mère aimait comme Pola Negri, Mary Pickford et Lupe Velez.

Déménagé à Bordeaux, tout près de la prison, l'année suivante, c'est là que j'ai pu voir enfin mon premier grand film. Un certain monsieur Frénette, qui habitait sur le boulevard Gouin, faisait des vues dans sa cour tous les samedis soirs pour la somme de 20 cents par personne! La première fois que je m'y suis rendu, il nous présentait le film «Qu'elle était verte ma vallée» avec la belle Maureen O'Hara, et comble de malheur, la pluie s'était mise à tomber en plein milieu du film. Je suis donc retourné chez moi la mort dans l'âme de ne pas avoir pu en voir la fin et croyez-le ou non, ce n'est que quinze ans plus tard que j'ai revu ce film en entier à la télévision. Toujours hanté par le magnétisme de ce monde inaccessible, je poussai l'audace jusqu'à dire à ma mère: «Et si un jour je devenais acteur, on m'accepterait dans le pays de Hollywood?» Elle avait éclaté de rire et m'avait répliqué: «Denis, ça suffit, arrête de niaiser et commence donc par apprendre ton arithmétique!»

Et pourtant, ça devait bien être possible. N'entendions-nous pas, chaque midi à la radio, lors des commerciaux de «Jeunesse Dorée», une Dorothy Lamour, Veronica Lake ou Merle Oberon nous vanter les mérites du savon de toilette Lux? Ce n'est que plus tard que j'ai enfin appris que c'était nulle autre que Nicole Germain qui les incarnait toutes à la fois. J'avais certes remarqué que toutes ces actrices avaient la même voix, mais je me disais que c'était sans doute ainsi à Hollywood. Jeune, je ne m'imaginais même pas une Jean Harlow ou un Tyrone Power... aller au petit coin comme tout le monde. En ayant parlé à ma mère devant sa sœur, ma tante Jeannette, je vous épargnerai ce qu'elles m'ont répondu sans même oser rire... mais je vous avoue que j'aurais aimé, tout comme les acteurs, que mes selles soient des fleurs!

Temps propice à tout et comme nous n'avions pas le droit d'entrer au cinéma avant l'âge de 16 ans, je me rappelle avoir mis dans mes pardessus d'hiver des morceaux de bois pour me grandir et de m'être dessiné une moustache à la Clark Gable pour franchir les guichets des cinémas Ahuntsic, Villeray ou Rivoli. Il n'y avait qu'au Rio de Montréal-Nord qu'on entrait facilement, mais les films étaient des plus médiocres. Par bonheur, j'avais un oncle qu'on a toujours appelé «oncle Ti-Gars» et qui se voulait le cinéphile le plus enragé de Montréal. Avec lui, je vous jure que je n'avais pas de misère à rentrer aux vues même à 13 ans. Il argumentait si fort en se disant mon père que la caissière finissait par en avoir peur. Ce qui m'enchantait avec mon oncle Ti-Gars, c'est qu'il connaissait tous les acteurs de Hollywood et avec lui, j'appris aussi bien qui était Nelson Eddy que Ida Lupino. Parfois, à 13 ans, je me rendais le matin au cinéma Midway, juste au coin des rues St-Laurent et Ste-Catherine, en plein sur «La Main» et pour 15 cents, je voyais trois films en ligne. Il y avait bien sûr les souris qui nous passaient entre les jambes et les «maniaques», comme ma mère les appelait, qui venaient s'asseoir juste à côté de moi, mais à cet âge, le petit blond que j'étais n'avait peur de rien ni personne! À 14 ans, j'étais donc très instruit sur tout ce qui s'appelait «vedettes» tout aussi bien du cinéma muet que de la dernière comédie musicale. Je me rappelle même de mon premier coup de foudre et c'est lorsque je vis le film «Strange Woman» avec Hedy Lamarr. Mon Dieu que je l'ai trouvée belle, cette superbe Viennoise. Depuis ce jour, elle est restée à tout jamais l'idole de ma vie et encore aujourd'hui, un immense portrait d'elle dans «Samson et Dalilah» orne le mur du bureau de ma résidence. J'avais un faible pour le style exotique et de Hedy Lamarr qui s'en voulait la reine, je suais aussi d'amour pour la regrettée Maria Montez et la toujours belle Ava Gardner. Du côté de la France, Vivianne Romance me faisait rêver et en Italie, Silvana Mangano ne me laissait pas indifférent.

À 15 ans, cinéphile averti, je comprenais fort bien que Hollywood n'était pas une ville entre ciel et terre et qu'un jour j'y mettrais les pieds, sans savoir à quel titre. Mon frère Pierre, qui fréquentait la plus belle Italienne de «La Petite Patrie», nous l'avait présentée et je vis en elle, instantanément, la plus belle actrice que Hollywood aurait pu avoir. Je trouvais même que son nom, Vera Sofia, était tout indiqué pour l'écran. Née d'un père italien et d'une mère irlandaise, Vera avait les yeux d'un bleu azur et les cheveux d'un roux flamboyant. Belle, svelte, féminine, racée, elle incarnait à la fois tout ce qu'un grand écran se devait d'offrir au public. Je tentai de la convaincre d'envoyer sa photo à un agent, un «talent scout» comme on les appelait, la persuadant que tout comme Lana Turner, on allait la découvrir, mais peine perdue, Hollywood perdit une reine de l'écran et mon frère l'épousa pour en faire la mère de ses quatre enfants. Quelle déception pour moi! Voilà donc jusqu'où allait mon euphorie. J'ai bien pensé m'y rendre moi-même et d'y tenter ma chance. Je parlais anglais, j'étais loin d'être laid... mais pas assez grand à ce qu'on me disait. Pourtant, Alan Ladd était loin d'être un géant et que dire de Mickey Rooney? Je les dépassais quand même de quelques pouces, non? Qu'importe! Ma destinée n'était pas de m'y rendre en tant qu'acteur, mais si on m'avait seulement dit en ce temps qu'un jour je m'y rendrais, je ne l'aurais jamais cru. Plus tard, avec l'avènement de la télévision, je me rappelle avoir regardé, avec mon père, la série «Les Incorruptibles» dans laquelle Robert Stack s'avérait le très puissant «Eliott Ness». Mon père était un mordu de ce Robert Stack dont il admirait le sang-froid d'un épisode à l'autre. Homme sans sourire quoique beau, il était adulé des femmes. Je l'admirais, je l'enviais... sans savoir que trente ans plus tard, Robert Stack allait être l'acteur qui me ferait l'honneur d'une de mes premières entrevues à titre de «journaliste à Hollywood». Ah! si seulement mon père vivait encore. Je l'imagine en train de dire à tout le monde que son fils a serré la main de son idole et qu'il a même été reçu chez lui.

Si je me suis ainsi penché sur les vestiges de mon passé, c'est pour que vous sachiez que mes voyages à Hollywood étaient plus qu'un métier. Ils ont été, à la base, la concrétisation de mes plus beaux rêves d'enfant. Je m'étais juré un jour d'y être dans ce pays fantasmagorique et voilà que j'en arrive encore une fois. J'ai croisé à date les plus grandes vedettes, mené de bien belles entrevues... et si tout semble acquis, laissez-moi vous dire que la percée n'a pas été facile. Comment est-ce arrivé? Comment en suis-je venu à dîner avec Hervé Villechaize et à boire un martini avec Loni Anderson? Tiens! Et si enfin, je vous racontais cette belle histoire!

LA CHANCE SOURIT...
AUX AUDACIEUX

Vendredi, 30 janvier 1981. Nombreuses sont les années qui se sont écoulées depuis le premier chapitre de ce livre. J'ai fait à peu près tous les métiers de la terre y compris celui de coordonnateur de galas de mode. Ayant déjà le culte du vedettariat, j'ai pu côtoyer chaque jour des artistes aussi prestigieux que Muriel Millard, Aimé Major, Élaine Bédard, Béatrice Picard, Andrée Boucher, Lucille Dumond, etc. Tiens! Voilà que je m'égare de la capitale du cinéma. Rédacteur en chef du magazine Le Lundi, j'avais pensé, avec mon patron, Claude J. Charron, qu'il était possible d'aller à Hollywood et d'y rencontrer les vedettes en personne et non avoir recours constamment aux agences de presse pour obtenir des droits d'entrevues réalisées par d'autres. Claude, quelque peu sceptique, m'avait dit: «Si tu y crois, Denis, va-y!» De toutes façons, j'avais des vacances en vue et je me disais: «Pourquoi ne pas tenter de faire d'une pierre deux coups?» Le pire qui pouvait m'arriver était de revenir bredouille... mais au moins, j'aurais vu de mes yeux, tout ce qu'enfant, j'avais imaginé.

Je n'ai pas fermé l'œil de la nuit et à 4 heures du matin, j'étais déjà prêt pour le grand voyage. Anxieux, stressé, ayant une peur bleue de l'avion, il ne fallait pas s'attendre à ce que je dorme comme un loir la veille du départ. D'ailleurs, et sans mentir, ça faisait au moins trois jours que j'étais miné par l'angoisse. Plus nerveux qu'un chat sauvage, j'étais à l'aéroport de Dorval à 7:30 hrs a.m. et à 9:00 hrs, un gros Lockheed 110, énorme avion apeurant, vombrissait ses moteurs et montait nez premier en perçant les nuages et combattant des vents tenaces. Sueurs au front, je faisais mine de rien et j'agissais comme un véritable agent de bord qui se promène chaque jour. Fort heureusement pour moi, j'avais une compagne fort gentille en la personne de madame Andrée Gendreau de Boucherville qui me parla de la carrière de son époux qui était chanteur lyrique. Après escale à Toronto, seconde envolée... et plusieurs petites bouteilles de vin. Je regardais sans cesse ma montre et après un vol de 7 heures, l'avion se posa à l'aéroport de Los Angeles et c'est avec un «ouf» de soulagement que je sortis de cet engin infernal.

Aéroport sordide avec des indications partout nous avisant de surveiller notre portefeuille. Je venais à peine de franchir la porte que je me retrouvai nez à nez avec le comédien Mario Lirette qui reprenait le même avion pour rentrer à Montréal. Un échange de mots d'amitié, une poignée de main et nous nous sommes quittés car j'étais anxieux d'arriver à mon hôtel. Pour récupérer mes bagages, ce fut un réel tour de force et je n'ai jamais vu de ma vie une installation aussi stupide que celle de Los Angeles. Un seul grand îlot pivotant et tout le monde se bouscule. Qu'on vienne de l'Angleterre, de l'Italie ou du Canada, c'est à la même place qu'on prend ses valises. Il m'aura fallu une heure avant de récupérer la mienne qui se promenait en dessous d'une dizaine d'autres sans que je puisse la voir. Il fait assez chaud, d'autant plus que je viens de quitter l'hiver et je saute dans le premier taxi qui se présente pour fuir la foule. On part et je dois dire au chauffeur, un Noir, de «modérer son transport», tellement j'ai peur de ne pas me rendre vivant jusqu'à l'hôtel avec lui. J'arrive finalement au Beverly Hilton où j'avais réservé, non sans avoir été ébloui par les palmiers gigantesques en cours de route. Et voilà que je me retrouve dans une chambre très luxueuse... que je trouve beaucoup trop chère pour mes moyens. Comme je dois reculer ma montre de trois heures, c'est donc dire qu'il n'est que midi en Californie et que j'ai une journée devant moi pour voir enfin la ville de mes rêves. Sans sommeil depuis 24 heures, j'étais certes très fatigué, mais je ne me suis pas couché ce soir-là avant de visionner, sur le canal payant de ma télé, le film «American Gigolo» avec Richard Gere dont tout le monde parlait à Hollywood. Dans les bras de Morphée, j'ai récupéré et je vous jure que ce n'est pas le décalage horaire qui a dérangé quoi que ce soit à mon extrême fatigue.

Avant de partir de Montréal, un copain de travail m'avait donné le nom d'une connaissance de son père à Los Angeles, Dean Walter. Ne connaissant rien de la ville, je l'appelai dès le lendemain matin et il m'invita à souper avec lui. Dean, un homme dans la cinquantaine, fort gentil mais très exhubérant, est arrivé à l'heure précise. Homme d'affaires averti, il parlait très vite, gesticulait sans cesse et je sentis dès le départ qu'il allait finir par me tomber sur les nerfs. Nous avions pris rendez-vous pour le lendemain, mais je trouvai un prétexte pour me dérober car je voulais explorer l'entourage tout seul. Si j'ai choisi, sans le savoir, l'hôtel le plus dispendieux de Los Angeles, c'est que c'est à cet endroit qu'a lieu chaque année la remise des Golden Globe Awards, trophées attribués aux acteurs par la presse étrangère. L'hôtel était donc indiqué pour en attraper quelques-uns au vol. Ce soir-là, je n'étais qu'un petit journaliste venu de loin et en quête d'entrevues, mais je ne savais pas encore que l'année suivante, j'allais être de ce banquet annuel à $600. le couvert... et en smoking s'il vous plaît!

Je me rends à la piscine de l'hôtel et à ma grande surprise, j'aperçois un peu plus loin, sur un genre de balcon privé, l'acteur George Hamilton entouré de «sa suite». Je n'étais vraiment pas parti pour ça, mais je me suis dit qu'il me fallait obtenir une entrevue avec lui, aussi courte soit-elle. Je m'approchai discrètement du lieu précis pour me rendre compte, à l'entendre parler à sa publiciste, qu'il ne voulait rien savoir de signer le moindre autographe. Pédant, le regard hautain, il se faisait coiffer par son petit Figaro tout en tenant un grand miroir sous son menton, histoire de bronzer davantage. Je vis un petit garçon se faufiler et demander à la précieuse vedette un autographe pour sa mère. Croyez-le ou non, la «superstar» a signé le bout de papier sans jeter le moindre regard sur l'adorable enfant qui ne cessait de le remercier. Je me suis dit que la partie était loin d'être gagnée pour moi, d'autant plus que c'est lui qui était maître de cérémonie de la soirée qui allait suivre et qu'il était en train d'apprendre ses textes. «Bah! qui ne risque rien n'a rien!» me suis-je murmuré tout en m'avançant vers sa publiciste pour lui soumettre mon idée. Elle voulut me donner sa carte pour que je prenne un rendez-vous, mais je refusai et insistai davantage, prétextant que je quittais le lendemain. Elle finit par aller lui glisser un mot et je l'entendis prononcer «french» mais il ne leva pas la tête pour autant, ne serait-ce que pour voir si je ressemblais à Lucifer ou Fats Domino! Elle revint pour me dire que monsieur Hamilton ne voulait pas de photos mais qu'il acceptait un court entretien avec moi pendant qu'on le maquillait. J'eux donc le privilège d'approcher «Son Altesse» qui leva les yeux sur moi pour me lancer un «Hi!» sans sourire. Notre entrevue dura à peu près quinze minutes interrompue souvent par une mèche qu'il disait mal placée ou par sa secrétaire qui n'en finissait pas de courir pour lui apporter de la limonade. Ce fut ce qu'on appelle une entrevue de courtoisie, sans chaleur, sans émotion et sans aucun intérêt. «Monsieur» me parlait de sa carrière, de ses nombreux films, sans mentionner ses «flops» évidemment, mais rien de sa vie privée. Caractère aigri, il s'emportait contre la maquilleuse et je vous jure, pour l'avoir vu de près, que la fille ne pouvait pas faire de miracles. Ce n'est pas parce qu'on est svelte qu'on est épargné des rides, surtout pas dans la quarantaine. Toujours est-il que je terminai mon entrevue et que je réussis à le convaincre de prendre une photo avec moi avec ma petite caméra. Coup de maître de ma part, car George n'aurait jamais accepté qu'un photographe professionnel le prenne au moment où des experts tentaient de lui enlever dix ans... en quelques heures! C'est sans le moindre sourire qu'il me vit partir et ce, malgré mon amabilité et mes remerciements. J'avoue ne pas avoir été chanceux d'être tombé sur lui en partant, mais au moins, la glace était rompue. Le hasard venait de me mettre face à mon premier défi et je l'avais relevé. Le plus drôle, c'est que le soir-même, George Hamilton, avec «eyeliner», «mascara», «make up» et «smoking», faisait son entrée officielle avec un sourire à bouche fendue jusqu'aux oreilles. Il signait des autographes, tapait des clins d'œil aux filles sur son passage et je me disais que Valentino n'aurait pas fait mieux. Et tous ces gens qui l'acclamaient sont sûrement partis avec l'impression qu'il était l'être le plus charmant de la terre. La maman du petit garçon de l'après-midi leur aurait sûrement avoué le contraire !

Comme j'habitais l'hôtel où tout se déroulait, j'avais le droit de flâner dans le hall d'entrée. C'est ainsi que j'ai pu apercevoir la très belle Natalie Wood qui venait pour la pratique des remises de trophées. Menue et vêtue telle une écuyère, elle semblait si radieuse que personne n'aurait pu se douter du malheur qui se jouait dans sa vie. Sa mort tragique m'a vivement chagriné et je n'oublierai jamais ces grands yeux noirs et ce doux visage d'adolescente qui m'avait souri en passant. J'ai aussi vu passer devant moi Victoria Principal qui n'avait rien, en plein après-midi, de la somptueuse «star» que j'ai revue le soir. Il m'a aussi été donné de croiser Van Johnson, ce vétéran du cinéma avec qui j'ai échangé quelques mots. Plus loin, il y avait Annie Cordy, grande vedette en France, mais illustre inconnue à Hollywood. Elle était là avec Michel Legrand... et je me demande encore pourquoi.

Lorsque vint le soir, ce fut la frénésie totale. Je n'avais jamais rien vu de pareil et je ne pouvais en croire mes yeux. À la porte de l'hôtel, une meute de photographes, journalistes et cameramen, ainsi qu'une foule hurlante à chaque apparition. Les limousines se succédaient et dès qu'on reconnaissait une vedette en vue, c'était l'hystérie collective. Le plus étonnant est que cette folie furieuse face aux «stars» n'était pas seulement de la part d'adolescents, mais de femmes aux cheveux gris tout comme d'hommes bedonnants qui couraient tels des enfants pour la signature d'une Linda Gray ou d'un Tony Danza. Ce fut donc du hall d'entrée, et ensuite de mon téléviseur, que je pus suivre les Golden Globe Awards, mais déjà je savais que la prochaine fois, ça ne se passerait pas comme ça.

Tout ça était bien beau, mais j'étais aussi en vacances et je voulais visiter comme tout bon touriste qui s'amène ailleurs pour la première fois. Comment faire quand on est seul? C'est bien simple, des tours organisés ! C'est ainsi qu'un matin, je pris l'autobus avec guide et que je pus visiter l'université de Los Angeles, le fameux UCLA, où toutes les vedettes sont passées ou presque. De là, le village mexicain où nous sommes arrêtés pour dîner. Fort heureusement, j'avais rencontré, à bord de l'autobus, un «steward» de Air Canada du nom de Michel Morin, un Québécois d'origine qui habitait Calgary en Alberta. Très affable, il en était lui aussi à sa première visite et c'est ensemble que nous avons pu apprécier ce tour de ville. Une amitié est née lors de ce séjour, on s'est écrit une fois ou deux car il avait la nostalgie du Québec et puis, avec le temps, comme je n'ai jamais eu le don de cultiver une amitié durable, on s'est perdus de vue, mais j'ai toujours gardé un bon souvenir de ce compagnon d'un moment. Si l'adresse que j'ai de lui est toujours valable, il est sûr que je lui enverrai une copie de ce livre dont il fait maintenant partie.

De retour à Beverly Hills, je me suis rendu en taxi sur Hollywood Boulevard où j'ai pu enfin fouler de mon pied, les noms sur étoiles de mes célébrités de jeunesse. Je ne les ai pas toutes trouvées, mais j'ai pu voir les empreintes des mains et des pieds de Judy Garland, Ginger Rogers, Hedy Lamarr, Joan Crawford, Jean Harlow, Clark Gable, Roy Rogers, Claudette Colbert... et c'était déjà de la magie. J'ai ensuite arpenté deux coins de rue de ce célèbre boulevard afin d'y lire des noms célèbres sans même m'apercevoir qu'en cours de route, au moins trois prostituées avaient essayé de me louer leurs services pour pas très cher. Remarquez que ça ne battra jamais la Noire à cheveux crépus rencontrée à New York il y a dix ans et qui était partie de $5.00 jusqu'à 0.75¢ devant mon refus... allant jusqu'à me garantir son travail! Sur Hollywood Boulevard, il y aussi le fameux Chinese Theatre, un monument de toute beauté par sa sculpture. Voulant absolument dire aux miens que j'avais vu un film directement de ce fameux théâtre, j'y suis entré et c'est là que j'ai vu «Popeye» avec Robin Williams et Shelley Duval, film que j'ai adoré et qui venait tout juste de sortir à Hollywood.

De là, j'ai fait comme à peu près tous les touristes et j'ai payé $15. pour aller visiter les fameuses «maisons d'acteurs» à Beverly Hills. Je n'irai pas jusqu'à dire que je me suis fait avoir, mais la rengaine du guide est bonne et il faut faire semblant d'y croire. On nous dit, en désignant une maison: «Cette résidence a appartenu à Rita Hayworth, jadis!» Très joli boniment. Pourquoi pas à Lauren Bacall aussi? Plus loin, on nous désigne la maison de Barbra Streisand et tout ce que l'on voit, c'est un mur immense fourni de haies et de fils barbelés. Et dire qu'il y en a qui sortent leur «Kodak» à chaque fois! Tiens, nous voilà devant la résidence de Debbie Reynolds selon lui et ensuite celle de la défunte «Maman très chère», Joan Crawford. Ce qui m'a le plus fait rire, c'est quand il s'est arrêté devant une maison qui selon lui était celle de Lou Ferrigno. Pour mieux appuyer ses dires, il y avait là une camionnette avec une plaque d'immatriculation «HULK». Les jeunes criaient de joie et les déclics des caméras étaient nombreux. Une semaine plus tard, et vous le lirez plus loin, je rencontrais Lou Ferrigno et son épouse Carla dans leur maison... à Santa Monica! Bravo pour le petit tour d'autobus même si les pieux mensonges y prennent place. Chose certaine, maisons d'acteurs ou pas, c'est la meilleure façon de visiter Beverly Hills et les résidences de millionnaires, qu'elles appartiennent à Louis Jourdan, Dean Martin, Ann-Margret... ou à un entrepreneur de pompes funèbres!

Dean Walter, l'ami de l'ami, est revenu à mon hôtel pour me faire visiter «Hollywood by night.» J'ai accepté par délicatesse car il se

19

voulait très affairé et avait même négligé quelques rendez-vous pour m'être agréable. Avec lui, j'ai vraiment vu la cité de nuit et foi de journaliste, d'un quartier à l'autre, j'en ai eu plein les yeux et en «technicolor» en plus. Mon guide avait cependant deux défauts. Il prenait un verre à chaque endroit visité et conduisait comme un pied. Peu sûr de lui au volant, très distrait, nous avons failli avoir le plus tragique des accidents. À un certain moment, sur la rue La Cienaga, Dean coupa à gauche et une voiture, venant en sens inverse, monta sur le trottoir pour nous éviter de justesse. Je vous avoue avoir eu la peur de ma vie, car si le chauffeur n'avait pas eu ce réflexe, il entrait directement dans ma portière et à la vitesse qu'il roulait, je suis sûr que je ne serais pas en train d'écrire ce livre aujourd'hui. Juste à y penser et j'en ai encore des sueurs froides. Je racontais cette aventure à des amis et l'un d'eux s'écria: «Et c'est toi qui a peur de l'avion?!»

Le lendemain, j'ai passé la journée à me remettre de mes émotions de la veille, car à 6 heures du soir, j'avais rendez-vous avec Lina, une photographe française qui habitait Los Angeles et qui désirait me connaître. Elle arriva à mon hôtel toute pétillante et si menue que je me crus un instant en face de la regrettée Juliette Béliveau. Très gentille, pas très jeune, Lina allait devenir, à partir de ce jour, ma compagne d'aventures et ce, pour les six autres années qui allaient suivre. Parisienne de naissance, elle avait émigré avec sa vieille maman et ses deux enfants il y a vingt-cinq ans. Mariée à quatre reprises, son dernier mari habitait encore Paris et est maintenant décédé. Ses enfants sont grands, sa fille est mariée et son fils a gradué de l'université. Correspondante pour un magazine français et membre de la «presse étrangère» grand-maman Lina était bien placée pour m'ouvrir quelques portes en chemin. Femme sans âge, toujours très coquette, je n'ai jamais pu savoir si elle était née avant ou juste après la deuxième guerre. Lui demander son âge eut été un affront. On ne pose jamais cette question à une Française! Un bon souper, des négociations et je l'engage à titre de photographe pour toutes mes entrevues à venir. Elle me promet de m'en trouver de son côté et je la quitte, assuré qu'elle et moi allons former un bon tandem. J'avais certes d'autres personnes en vue, mais mon petit doigt me disait qu'avec Lina... et cet auriculaire ne s'est pas trompé!

Là, il me fallait absolument changer d'hôtel. Ma situation financière, avec tout l'appui du Lundi, faisait qu'il était insensé de payer à ce moment $100. par jour pour n'être que logé. J'appelai Dean Walter à mon secours et il m'a déniché une chambre au Del Capri de Westwood. Arrivé sur les lieux, je faillis m'évanouir. C'était comme partir d'un palais pour me retrouver dans un taudis. Comme Dean m'avait déposé à la porte, je le rappelai et il revint me chercher pour m'amener au Hollywood Inn de Brentwood. C'était déjà mieux, mais très loin de mon profit comme on dit. Le lendemain, je refais donc mes valises et sans déranger Dean, je prends un taxi qui m'amène au Holiday Inn de Hollywood. C'est beaucoup plus près, mais là, on me dit qu'à cause du tournoi de golf américain, on ne pouvait me garder plus de deux jours. Ce fameux tournoi amenait des gens de partout et rien n'était vacant nulle part, sauf dans les hôtels de troisième ordre. Coincé quelque peu et fort embarrassé de déranger encore Dean Walter, je téléphone à Lina et lui explique la situation. Elle me dit : « Vous êtes encore trop loin et je vais vous trouver quelque chose de plus près et de plus abordable. » Elle me rappelle une heure plus tard et je déménage pour la cinquième fois au Hyatt sur Sunset, tout près de Beverly Hills et à dix minutes de Hollywood Boulevard. Arrivé là, à la chambre 310, j'ai été ravi, je me suis senti comme chez moi et je ne suis jamais allé ailleurs depuis. Le personnel au complet de cet hôtel me connaît maintenant et la réception est toujours très cordiale. Ce qui m'a surpris la première fois, c'est que tous les employés ou presque sont de jeunes acteurs et actrices dans l'attente d'une chance. Je me souviens d'une jeune serveuse blonde et très belle de qui j'avais dit au gérant : « Mais que fait-elle donc ici ? Elle devrait faire du cinéma ! » Ce à quoi il me répondit : « Mais c'est exactement ce qu'elle veut, monsieur ! » Le porteur de bagages est aussi un jeune acteur dans l'espoir d'être un jour choisi, tout comme Mitch, le jeune barman qui décrochait parfois des petits rôles dans des romans-fleuves d'après-midi. L'an dernier, il avait tout abandonné pour devenir membre des « strip-o-grammes » ce qui veut dire qu'il livre des souhaits de fête dans les maisons en se déshabillant progressivement jusqu'à ce qu'il soit nu. C'était d'ailleurs lui qui m'avait expliqué, à l'époque, l'invasion de ces jeunes venus de partout. « Quand ils quittent leur ville, que ce soit Boston, Vancouver ou même un petit village, ils croient tous qu'ils vont décrocher une étoile en arrivant ici. Alors, imaginez leur désillusion quand ils se rendent compte qu'il y en a des milliers comme eux sur place. Des gars style Rob Lowe, vous allez en croiser au moins cinquante par jour juste sur Sunset Boulevard. Déçus, ces jeunes ne veulent pas retourner chez eux et avouer leur échec. Ils travaillent dans les hôtels, les restaurants, et quand ils ne trouvent aucun emploi... c'est la prostitution ! » Cet aveu m'a grandement attristé d'autant plus que le gérant m'a affirmé par la suite que quelques-uns partaient pour San Francisco parce que c'était plus payant de se prostituer dans ce coin. Faut dire qu'à ce moment, il n'était pas encore question de sida. Quelques-uns retournent dans leur famille, les plus intelligents, quoi. D'autres attendent en vain, l'espoir au cœur, qu'on jette un regard sur eux. Ils se voient tous comme des Tom Cruise et en attendant ce jour, crèvent de faim. Que tous les jeunes qui me lisent et qui rêvent de faire du cinéma se le tiennent pour dit. À Hollywood, des petites blondes à poitrine invitante et des petits jeunes genre Scott Baio, il y en a à la pelle. Pensez-y avant de partir comme ça à l'aventure. Vous risquez de faire carrière dans une ruelle!

L'hôtel que j'habite est situé sur Sunset Boulevard et la seule évocation de ce nom me fait penser au film le plus important qu'a pu tourner Gloria Swanson. De mon balcon, je vois la circulation dense et la vitesse folle avec laquelle conduisent les Américains. Une chose m'a frappé cependant et c'est la courtoisie qu'ils ont envers les piétons. À Los Angeles, les gens ont priorité sur les autos qui s'immobilisent en pleine rue pour laisser traverser une personne. Ce n'est pas au Québec qu'une telle courtoisie existe puisque même sur un feu vert, on risque d'y laisser sa peau. De l'autre côté de la rue, il y a le tatoueur Reveen qui fait des affaires d'or. J'y suis allé par curiosité et j'ai vu des gens attendre en ligne, même sur rendez-vous. Le proprio m'a bien reçu, mais n'a pas réussi à me convaincre ni avec une rose ni avec un serpent sur le bras. J'ai par contre vu de mes yeux de très belles jeunes filles se faire tatouer un cœur ou un prénom... sur un sein. Juste à côté de mon hôtel, il y a le célèbre Comedy Store qui attire des foules chaque semaine. C'est le genre d'endroit où le «stand up» est à l'honneur. C'est d'ailleurs là que Robin Williams a débuté sa carrière et que Henry «Fonz» Winkler a fait ses premiers pas. C'est aussi à cet endroit que s'est produit André-Philippe Gagnon lors de son passage dans la capitale du cinéma. On dit qu'il y a obtenu un franc succès. Les Américains sont friands «du rire» et c'est pourquoi ont fait de plus en plus de films drôles et de moins en moins de dramatiques. Une Joan Crawford crèverait sûrement de faim de nos jours à Hollywood. Il y aussi, en plein Beverly Hills, le fameux Rodeo Drive où les artistes magasinent. C'est la rue la plus huppée avec les boutiques les plus dispendieuses de la Californie. Il me fallait y aller... vous pensez bien et c'est très élégamment vêtu que j'ai arpenté le trottoir le plus cher de la terre. J'ai eu le plaisir de croiser Farrah Fawcett qui sortait d'une boutique les bras chargés de colis et qui s'engouffra dans une limousine avec chauffeur. J'ai osé franchir la porte d'une boutique pour homme et après qu'ont m'eut dévisagé des pieds à la tête, on m'a offert un scoth ou un café avec cognac... avant de ne plus me lâcher. Je regardais les prix et j'avais beau faire mine de les trouver de mon calibre... qu'au fond de moi, je voulais perdre connaissance. Pris au piège, ne pouvant plus sortir sans acheter, j'ai fini par choisir une cravate sur le présentoir le moins dispendieux prétextant que c'était pour un ami. Elle m'a coûté $50. et je vous affirme en avoir vu une pareille à Miami pour $12. J'ai voulu jouer à la vedette? Tant pis pour moi... mais heureusement que le cognac venait avec. De l'autre côté de la rue, il y avait un petit bistrot et je suis arrêté pour y prendre une bière. Comme c'était sur Rodeo Drive, elle m'a coûté $5.00 plus pourboire. Je suis donc revenu à mon hôtel et retrouvant une tenue plus simple, je suis allé visiter les Studios Universal. Voilà une visite que je vous recommande, une tournée qui se veut intelligente. Je m'amusais, je me défoulais, mais je vous avoue qu'avec une seule entrevue à date, je me sentais loin de mon défi. Il fallait que ça débloque quelque part et juste comme j'y pensais, le téléphone sonne et c'est Lina qui me dit : « Denis, profitez bien de la semaine, car dès lundi, nous aurons des entrevues. J'ai un peu de difficulté ici car on ne connaît pas Le Lundi, mais quand je leur ai mentionné que vous en étiez le directeur, ils se sont montrés plus intéressés. Voici donc ce qu'il faut faire... etc. » Et toute la fin de semaine, je me mis à porter des magazines à des agents, à des publicistes, à des producteurs et à des réalisateurs. Comme c'était vendredi, je plaçai des appels à des maisons de promotion, à des imprésarios, expliquant chaque fois qui j'étais, ce que je voulais... jusqu'à ce que je sois à bout de souffle. Exténué, je suis allé me payer un bon souper chez Oscar, un luxueux restaurant au 27e étage d'un chic hôtel. C'était là, le premier bon repas que je prenais depuis mon arrivée.

Une fin de semaine à tuer et outre le soleil et la piscine sur le toit de mon hôtel, je n'avais guère de projets. Dean Walter, sur quelques refus à le suivre, avait fini par cesser de me téléphoner. Il avait fait certes de son mieux pour m'être agréable et m'avait été d'un précieux secours, mais en tant qu'individu, j'étais incapable de m'y faire et je préférais l'éloigner en douceur de mes parages. Homme intelligent et averti, je pense qu'il a vite compris que mes défaites, pour ne pas le suivre, n'avaient ni queue ni tête. Mon Dieu.. que je mens mal ! Je me fais toujours prendre, mais je ne pouvais y aller de mon honnêteté et lui dire que sa compagnie ne m'intéressait pas. Surtout pas après tout ce qu'il avait fait pour moi. Je l'ai donc perdu de vue et depuis ce jour, je ne l'ai jamais revu, car à chacun de mes voyages, j'ai toujours « volontairement oublié »... de l'appeler !

Comme c'était plutôt nuageux en ce samedi, j'ai opté pour une visite à Disneyland. J'en avais tellement entendu parler que j'en ai été déçu. La magie et la féerie sont là, mais le problème est que j'étais déjà trop vieux pour être impressionné par le monde de Walt Disney. Je suis sûr par contre, que quinze ans plus tôt, alors que mes enfants étaient tout petits, c'eut été différent. Je suis donc rentré plus tôt que prévu à mon hôtel.

C'est maintenant la saison des pluies en Californie et voilà qu'elle me frappe de plein fouet. Je viens de me lever sur un lundi très maussade et pourtant, le téléphone sonne. C'est Lina qui me demande d'être prêt dans une heure, car elle vient me chercher afin d'aller rencontrer Richard Hatch, le célèbre « Capitaine Apollo » de la télésérie « Battlestar Galactica ». Tiens ! me suis-je dit, voilà une entrevue qui va plaire aux jeunes. Et je pensais aussi à ma fille qui m'avait donné sa photo pour qu'il lui écrive un mot si jamais je le rencontrais. Richard Hatch était son idole! C'est au bureau de son manager que j'ai rencontré Richard Hatch qui avait fait un spécial pour m'accorder cet entretien. Très beau, dans la force de ses 34 ans, il me parla de son fils, de sa vie d'acteur, de ses pensées intimes et je me suis vite senti à l'aise avec lui. Très «vedette» à cette époque, il avait gardé une exquise simplicité, ne se prenant nullement pour un autre. Ce fut un beau et franc dialogue et après une heure de conversation et la séance de photos terminée, je le quittai en lui promettant qu'on se reverrait. Comme convenu, je lui demandai d'écrire un mot à l'endos de la photo de ma fille et il mit aux moins dix minutes pour le faire voulant être sûr de lui plaire. Regardant la photo, il s'exclama: «Comme elle est belle! Elle ressemble à Valérie Bertinelli». C'était là un beau compliment et quand je remis la petite note de son idole à Sylvie, ce fut pour elle un cadeau princier et ses amies n'en croyaient pas leurs yeux. Entre nous, je vous avoue que c'était plutôt gênant de demander pareille dédicace... mais que ne ferait-on pas pour ses enfants?

Il est 8 heures du matin et Lina m'appelle pour me dire «Denis, nous avons rendez-vous avec Robert Stack chez lui cet après-midi!» Imaginez ma stupeur et ma joie. Le fameux «Eliott Ness» des «Incorruptibles» avait accepté de m'accorder une entrevue. Sans le savoir encore, c'est cette rencontre avec lui qui allait m'ouvrir, par la suite, bien des portes. Je vous avoue avoir ressenti un certain trac. Robert Stack avait derrière lui une carrière d'acteur bien remplie et son style m'impressionnait. Jusqu'à l'heure du départ, je n'avais qu'une crainte et c'était celle d'une annulation de dernière minute, ce qui arrive assez souvent à Hollywood. Par contre, tout est tellement fait professionnellement que vous ne risquez pas, comme ça m'est arrivé au Québec... de me cogner le nez sur une porte parce que la vedette avait oublié tout simplement le rendez-vous. Sans nommer personne, l'incident m'est arrivé à deux reprises à Montréal et en plein hiver alors que l'entrevue était planifiée à 9 heures du matin. J'avais même bravé la neige et la rafale pour m'y rendre. Sur l'une des deux fois, la personne ne s'est même pas excusée et inutile de vous dire que je n'ai jamais voulu la revoir. Je connais des camarades de travail à qui «la chose» arrive assez régulièrement, surtout chez les débutants qu'on ne craint pas d'offenser. Métier ingrat parfois que le nôtre et je vous en reparlerai, mais à Hollywood, on a beaucoup plus de doigté.

Tout va pour le mieux et avec Lina, nous gravissons la colline jusqu'à Bel Air, le quartier le plus chic de la capitale du cinéma. C'est là qu'habitent Robert et Rosemary Stack. Lina conduit très vite et il me faudra pendant six ans le lui dire constamment et appliquer instinctivement les freins dans les courbes. Chère Lina, si vous saviez toute l'angoisse que j'ai pu vivre dans votre vieille bagnole pas toujours en ordre, mais je vous pardonne, car votre appui l'a emporté sur mes reproches. Nous arrivons finalement devant une luxueuse demeure dont la dimension m'impressionne. Juste à côté, un superbe court de tennis. Je me souviens qu'en dépit de la chaleur, j'avais revêtu un complet bleu avec chemise blanche et cravate. Je voulais arriver chez Robert Stack en vrai gentleman, assuré que ce monsieur avait beaucoup de classe. Et je ne me suis pas trompé. C'est lui-même qui nous a accueillis à la grille de sa maison pour nous introduire dans un superbe salon où marbre, ivoire et ébène se mariaient. Juste avant, nous avions traversé le hall d'entrée qui se voulait de deux fois la grandeur de ma maison dans son ensemble. Ce n'est sûrement pas là ce que ma mère appelait «un portique!» Plus qu'aimable, Robert Stack nous offre un de ces sourires comme n'a jamais pu le faire «Eliott Ness». Vêtu de façon sportive, il se voulait quand même très élégant et je notai qu'il aima ma façon européenne de m'habiller. Délicatesse inoubliable, sachant que j'étais francophone, Robert Stack m'a reçu avec un vin blanc importé de France et fort dispendieux, croyez-moi. Assis l'un en face de l'autre, il m'a parlé en français du mieux qu'il a pu, sans aucun accent agaçant. Il a déjà tourné à Paris et m'avoue que son meilleur ami, le regretté Jean Gabin, lui avait appris le français. Il raffole de la langue de Molière et nous parlons de culture, de peinture, de Cézanne, de Martine Carol et au moment de l'entrevue, il me demande: «Vous voulez m'interviewer en anglais? Autrement, je serai trop lent dans mes réponses!» Nous avons parlé de sa carrière, de son plus récent film «Airplane», de son rôle dans «Les Incorruptibles», puisqu'il admet devoir tout son succès à ce fameux inspecteur. Nous étions presqu'à la fin de l'entrevue quand son épouse Rosemary est arrivée de la ville où elle avait fait des courses. Très belle, très blonde et mince comme un fil, cette femme, à l'abri des ans, avait encore tout du mannequin qu'elle avait jadis été. Vêtue d'une très jolie robe rouge, elle préféra se changer pour les photos et revint dans une élégante robe bleue qui la rendait encore plus douce. Elle me parla de ses grands enfants, de son amour de la vie, de son merveilleux Bob comme elle l'appelait et je sentis à quel point ce couple était uni après plus de 30 ans de mariage. Elle me fit visiter une partie de sa maison et m'invita à goûter des fruits frais sur son patio à deux pas de son immense piscine. Pendant ce temps, Robert Stack m'autographiait sa biographie intitulée «Straight Shooting» et me remit le volume en me disant en riant: «Vous au moins, vous allez le comprendre. Les Américains sont ignares de bons sentiments!» Vin blanc et fruits frais, voilà un délicieux cocktail, mais la tête commençait légèrement à me tourner et j'étais fort aise d'être à la fin de notre entretien. C'est avec sincérité que je sentis sa ferme poignée de main et c'est avec noblesse que je baisai celle de madame, «a real lady» comme on dit là-bas. De retour à l'hôtel, j'étais aussi agité qu'un adolescent. J'avais déjà trois entrevues sur cassette et cette dernière n'était pas la moindre. Elle devait s'avérer désormais mon passeport pour percer davantage ce milieu difficile. Le soir venu, pour me détendre un peu, Lina m'invita aux Studios Paramount où l'on présentait à la presse, le premier épisode de la série «Best of the West» ainsi que les acteurs qui y participaient. La série n'a pas eu de succès et fut vite retirée de l'horaire par la suite. De toutes façons, ce soir-là, j'avais encore la tête chez Robert Stack et le cœur content de relever de plus en plus mon défi.

Il pleuvait à boire debout en ce mercredi 11 février 1981. J'avoue que ça m'était égal, car je n'avais rien de prévu, et très fatigué de ma journée d'hier, je comptais me payer un bon film ou sommeiller un peu. Je n'avais pas encore pris ma douche que le téléphone sonne et voilà encore Lina qui m'annonce qu'on peut rencontrer l'acteur Sam Jones chez lui l'après-midi même. Tout ce que je savais de lui, c'est qu'il avait incarné «Flash Gordon» au cinéma, mais je n'avais pas vu ce film. Comme tout ce qui s'appelle fiction est très fort auprès de mes jeunes lecteurs, je me disais qu'ils apprécieraient sûrement «Flash Gordon» après le «Capitaine Apollo». Décidément, j'étais parti pour faire plaisir aux enfants! Comme par enchantement, la pluie cessa et à midi, le soleil se montra dans toute sa splendeur. Lina vint me quérir et j'en fus quitte encore une fois pour l'escalade du Laurel Canyon à une vitesse qui me fit dresser les cheveux sur la tête. C'est plus précisément au Mount Olympies qu'habitait Sam Jones. Arrivés devant une très jolie maison de style cottage, c'est une très jolie jeune femme en bikini qui vint nous ouvrir pour nous introduire dans un salon assez beau... mais un peu comme on en voit partout chez nous. Sam Jones arriva dans toute la splendeur de ses 6'4" et ses cheveux blonds teints, tout comme dans son rôle. Il ne voulait pas changer de look pour qu'on le reconnaisse dans la rue et qu'on ne l'oublie pas et pourtant, Dino De Laurentis ne lui confia rien d'autre, pas même un «part II» de son «Flash Gordon». Très accueillant, quoique timide, j'eus une bonne entrevue avec lui et je sentis que le fait que j'allais parler de lui «en français» lui tenait à cœur.

Nous étions sur le patio pour l'entrevue et la vue était magnifique. Je dois avouer, pour le bénéfice de ses «fans», que Sam Jones était une belle pièce d'homme et qu'il avait beaucoup de charme. Très viril, bien élevé, il misait beaucoup sur son film pour percer davantage. Il ne m'a pas parlé, vous vous doutez bien, du fait qu'il avait déjà posé nu pour un magazine spécialisé, mais si Stallone l'avait fait, tous pouvaient le faire maintenant, non? Loin de nous l'époque où une vedette, ayant posé nue, était bannie du cinéma. D'ailleurs, ce n'est pas le fait d'avoir posé nue pour un calendrier qui avait empêché Marilyn Monroe de devenir le plus célèbre «sex symbol» de l'Amérique. Pendant que je causais avec Sam Jones, il y avait un va et vient continuel dans la maison. Deux à trois filles en bikini déambulaient et un gars, qui semblait se remettre d'une «brosse» de la veille, se promenait en robe de chambre, jus d'orange à la main. Je n'ai jamais su si l'une des filles était la petite amie de Sam, mais j'ai cru deviner que dans cette maison, on semblait vivre en communauté de biens! À la toute fin de l'entrevue, une fille se présenta pour prendre des photos avec lui, ce qui me permit de lui parler d'amour, mais je suis sûr qu'avant mon retour pour Montréal, «Flash Gordon» était déjà dans les bras d'une autre fée des étoiles! Je le remercie, je le quitte et en redescendant la côte, Lina m'apprend que la maison n'est pas à lui, mais à l'autre type en question. Sam Jones l'avait empruntée pour les besoins de la cause et par délicatesse, je n'en avais pas parlé dans mon article. À Hollywood, le «standing» est très important et vivre à Beverly Hills, ce n'est pas comme vivre en appartement. Ça fait beaucoup plus «success story», plus parvenu et surtout plus impressionnant pour les médias... même quand on n'en a pas les moyens. J'allais me faire jouer le même tour une autre fois, mais je vous en reparlerai. Sam Jones est-il devenu populaire pour autant? Pas tout à fait et surtout pas comme il l'aurait souhaité. Choisi pour la continuité «Code Red» avec Andrew Stevens, l'émission fut retirée en moins d'un an, faute de succès. Les pompiers ne semblaient pas intéresser la masse. Il a certes eu un petit bout de rôle dans «10» avec Bo Derek, mais personne ne l'a remarqué. Depuis, j'ai vu Sam Jones dans le film «My Chauffeur» mais son rôle était loin d'être le plus important. Il a perdu beaucoup de son apparence de jadis et je pense avec regret qu'il ne sera jamais le grand acteur qu'il rêvait d'être. Hollywood est une jungle et les fauves sont nombreux. Un bon film et c'est la consécration, mais encore faut-il en avoir au moins le talent. De retour à l'hôtel, j'écrivis mon reportage en quelques heures et là, confortablement installé avec l'apéro du gars fatigué, j'écoutai les nouvelles de Los Angeles pour ensuite sommeiller une heure ou deux.

J'en étais à mon dernier jour à Hollywood et je comptais bien le passer à la piscine quand je reçus un coup de fil d'un certain Larry W. à qui j'avais téléphoné et qui me demande si je suis intéressé à rencontrer son protégé Lou Ferrigno l'après-midi même. La roue tournait si bien que je ne pouvais pas m'arrêter en chemin et j'acceptai d'emblée. Après «Flash Gordon», voilà que «Hulk» m'attendait. Décidément, je n'allais pas m'en sortir et ce voyage me faisait rencontrer que des «héros légendaires». J'avais beau vouloir faire plaisir aux adolescents, je n'aurais pas détesté croiser une Kim Novak en chemin! Je me rendis donc dans le centre-ville avec ma photographe et, au bureau de l'agent, Lou Ferrigno nous attendait en compagnie de son épouse Carla. Comme je ne savais rien de lui et encore moins de son émission que je ne regardais pas, je m'étais renseigné auprès de Lina en cours de route et elle me raconta tout ce qu'elle savait sur lui, sauf qu'elle oublia de me dire... qu'il souffrait de surdité! Tout ce que je savais de lui, c'est qu'il avait remporté à peu près tous les titres comme culturiste et que son plus grand rival était Arnold Schwarzenegger qui est devenu avec le temps un acteur dix fois plus populaire que ne le sera jamais Ferrigno. J'arrive donc au but et je pose mes premières questions au gros «Hulk» pour me rendre compte que c'est sa femme qui répond sans arrêt pour lui. Comme je n'ai pas une voix qui porte, je ne lui facilitais pas la tâche, mais je n'en savais rien encore. Je poursuivis mon questionnaire en le regardant dans les yeux et j'avais parfois un «yes» pour réponse quand c'aurait dû être «no» et c'est Carla qui rectifiait au fur et à mesure. Je parlai pourtant de son enfance, mais à aucun moment, sa femme ne me parla de son handicap. Je trouvais qu'elle prenait pas mal le plancher, mais au moins, elle parlait et j'apprenais tout ce que je voulais savoir. Il avait l'air d'un gros «nounours» tenu en laisse par une petite femme... et avec le temps, parce que je l'ai revu chez lui l'année suivante, c'est exactement ce qu'il était devenu. Carla le dominait entièrement de ses 5 pieds. La rencontre fut quand même agréable et je sentis que Carla voulait être aussi vedette que lui. Ancienne serveuse de restaurant, elle aspirait maintenant au petit comme au grand écran depuis qu'elle était madame Ferrigno. Je les quittai après une heure d'entretien et quinze minutes de photos et ce n'est que rendus dans l'auto que Lina me murmura: «J'avais oublié de vous dire qu'il était sourd!»

Il fait 80 degrés à Los Angeles et je dois quitter... à peine plus rouge qu'un homard légèrement ébouillanté. Dans une heure, je prends mon avion et nous sommes un vendredi 13! Lina est venue me reconduire à l'aéroport et je lui fais la bise. Les photos sont bonnes et notre complicité extraordinaire. On se jure de se revoir et d'en faire davantage la prochaine fois. Après un vol rempli de perturbations et de sueurs froides, j'arrive enfin à Dorval dans la neige et le froid, mais j'ai encore le cœur au chaud comme si j'en avais laissé un morceau là-bas. Vacances peu reposantes mais quel beau premier défi d'accompli. Cinq entrevues, des contacts établis pour l'avenir et une façon de faire du journalisme qui se voulait fort différente d'ici. Mon patron est fort heureux de mon expérience et de mes résultats. Il me propose d'y aller tant que je voudrai et Le Lundi, dès lors, peut enfin offrir d'authentiques entrevues à ses lecteurs avec des vedettes de la télévision et du cinéma. Et c'est ainsi que la chronique «Un journaliste à Hollywood» est née. Cette fois, c'était plutôt pour le plaisir des adolescents et des enfants mais avec le temps, j'allais captiver les grands avec tout ce qui m'attendait dans les prochains tournants.

LA MARCHE DES CASSETTES

Vendredi, 2 octobre 1981 et, en moins de huit mois, je reprends l'avion à destination de Los Angeles. Cette fois, j'avais promis à ma fille de l'amener avec moi et de la lancer davantage dans ce métier qu'elle voulait faire, tout comme son père. S'il vous est arrivé de lire, dans Le Lundi, des entrevues ou articles signés Sylvie Landry, sachez qu'elle est ma fille. À 19 ans, indécise face à l'avenir et douée pour l'écriture, je lui avais suggéré le métier de journaliste en ajoutant que j'allais lui donner toute la formation dont elle aurait besoin. Pour ne pas nuire à son évolution personnelle, je lui avais demandé de prendre le nom de fille de sa mère et c'est ainsi que de Monette, elle est passée à Landry... ce qui allait lui éviter d'être... «la fille de l'autre»!

Cette fois, ayant opté pour CP AIR, nous avons effectué un voyage épouvantable dans un 737 avec escale à Vancouver, attente de 4 heures par un jour de pluie et de là, un autre 737 jusqu'à Los Angeles. Nous étions morts de fatigue et courbaturés au possible dans ces avions aussi étroits que des cabines téléphoniques. Arrivés enfin à destination, ma chère Lina nous attendait à l'aéroport et après présentations d'usage, elle nous a conduit à cent milles à l'heure jusqu'à notre hôtel. Je revois encore le visage terrifié de ma fille qui, désespérément, s'agrippait au siège arrière pendant que je riais tout en la priant une fois de plus de mettre son aiguille à la vitesse d'un 33 tours. Lina se prit d'amitié pour Sylvie qu'elle trouva fort gentille et je sus dès lors qu'elle ne serait pas ennuyée par la présence d'une tierce personne pour quelques jours.

Le Hyatt du Sunset Boulevard m'attendait avec la chambre voisine de la précédente. Mitch était toujours là et de barman, il était maintenant serveur. La petite blonde attendait encore sa chance, sans pour autant quitter son emploi. Le «bell boy» était le même et m'annonçait que prochainement, histoire d'impressionner ma fille, il décrocherait un rôle dans une série... et je le félicitai de grand cœur.

Je savais également que René Simard, Marie-Josée Taillefer et Claudine Bachand étaient au même hôtel et c'est avec joie que je retrouvai Claudine pour un gentil souper à trois. René et sa Marie-Josée étaient partis passer le week-end à Las Vegas. Son séjour avait pour but de parfaire sa maîtrise du show-business tout en essayant de percer quelque part. N'avait-il pas eu sa propre émission à Vancouver intitulée «The René Simard Show»? Claudine Bachand, son attachée de presse, son amie... pour ne pas dire sa grande sœur, avait de bons contacts à Hollywood et René avait juste l'âge qu'il fallait pour y tenter sa chance. Il suivait des cours de danse dans l'une des écoles les plus réputées de Los Angeles ainsi que des cours de pause de voix tout en apprenant l'espagnol. Travailleur acharné, je l'ai toujours admiré pour sa détermination, et tout ce qu'il a acquis depuis, il l'a gagné au gré de ses multiples efforts.

Le lendemain, il était de retour avec sa chère Marie-Josée et ce fut la joie des retrouvailles. Nous sommes allés tous ensemble à la piscine pour ensuite aller magasiner sur Hollywood Boulevard. Croyez-le ou non, des Anglais de Vancouver, qui le reconnaissaient, lui demandaient son autographe. Nous avons aussi croisé quelques Québécois et ce fut encore le même éclat. À Hollywood, loin de ses fans du Québec et plutôt méconnu de la masse, René Simard brillait encore et des Américains, voyant la scène, s'interrogeaient à savoir qui il pouvait bien être. Un jour, peut-être le sauront-ils tous? J'ai toujours prédit à René, qu'avec le temps, il serait connu des gens... des cinq continents!

Ma fille s'amusait beaucoup avec René et Marie-Josée et ils lui ont fait visiter tout ce que j'avais déjà vu lors de mon premier voyage. Merci encore... ça m'a sauvé bien des pas! Pendant ce temps, après quatre jours de vaine attente, côté métier, je commençais vraiment à désespérer et je sentais l'anxiété me monter peu à peu à la gorge. Chanceux la première fois, ce voyage allait-il être un «flop» et m'inciter à mettre un frein à ce défi? Je vous avoue avoir connu un «down» passager. J'avais beau laisser des messages aux publicistes, les réponses se voulaient rares et souvent négatives. Lina, de son côté, n'avait guère plus de succès et je sentais un énorme stress m'envahir. Trois jours plus tard, deux entrevues prévues étaient annulées et j'ai bien failli boucler mes valises. Le pire, c'est qu'il me fallait être constamment à l'affût du téléphone, ce qui voulait dire que je sortais à peine de ma chambre et qu'il me fallait prendre le soleil de mon balcon sur une chaise droite à ses heures de visite. D'un manager à un publiciste, on se renvoyait la balle et j'avais beau prendre des notes, quand un monsieur Drake me rappelait... c'est moi qui ne retrouvais plus pour quel acteur je l'avais contacté. Rivé à ce téléphone, il me fallait sans cesse m'introduire au bout du fil, épeler mon nom et davantage celui du LUNDI. Il me fallait leur dire, qu'en anglais, ça se traduisait par «Monday» pour qu'ils comprennent. Je leur décrivais en plus la formule du magazine, son contenu, le nombre de pages, le tirage, etc., et après avoir bien vendu ma salade, on me disait: «Just a minute, sir» et quelqu'un d'autre arrivait au bout du fil en me disant: «Que puis-je faire pour vous?» Il me fallait tout recommencer et, à certains moments, j'aurais voulu lancer l'appareil contre le mur tellement la moutarde me montait au nez... moi qui d'habitude se veux patient. À la longue, j'étais devenu un si bon perroquet que je pouvais débiter tout mon texte en prenant du soleil. D'ailleurs, je n'avais pas à me chercher une cage puisque j'étais dans ma chambre du matin jusqu'à la tombée du jour. Non, ça n'a pas été facile d'être un journaliste à Hollywood et c'est ainsi à chaque fois, puisque les publicistes changent d'année en année. C'était donc l'éternel jeu de patience et avec le recul, je peux vous dire, en écrivant ces lignes, que journaliste à Hollywood, c'est un métier ardu qu'on fait un temps... pas toute une vie.

J'étais sur le point d'abandonner la partie et je songeais même à revenir plus tôt que prévu. Je regardais tous ces numéros de téléphone sur ma table de chevet et j'avais une folle envie de les jeter à la poubelle. Je n'en avais pas encore parlé à Sylvie, car je ne voulais pas la décevoir, mais je savais qu'il me fallait lui dire que dans quelques jours... Je rongeais mon frein, me demandant comment j'allais lui annoncer qu'on reprenait l'avion quand le téléphone sonna. C'était Lina qui avait fini par me décrocher une entrevue avec Bruce Boxleitner, le fameux «Luke Macahan» à l'époque et vedette aujourd'hui de «Les deux font la paire». Je laissai échapper un soupir de soulagement et remerciai le ciel de m'épargner les angoisses que je sentais venir. L'après-midi même, je partis avec Lina et Sylvie pour Hidden Hills, où nous devions le rencontrer sur son fabuleux ranch où il habitait avec son épouse Kitty, qui avait aussi joué dans «La conquête de l'Ouest». N'entre pas qui veut sur ce territoire privé à environ 70 milles de Los Angeles. Seuls les proprios ont droit de passage et des gardiens de service font le guet à la barrière en nous demandant de nous identifer très clairement. On téléphone ensuite à l'acteur et c'est lui qui autorise ou non notre admission. Donc, si vous êtes un «fan» de Bruce Boxleitner, ne vous aventurez pas chez lui dans l'espoir de le rencontrer, son intimité est bien protégée. Nous avons dû emprunter plusieurs sentiers avant de nous retrouver sur le sien et on se serait cru à «Frontier Town», avec tous ces chevaux que l'on croisait et ces cow-boys en chair et en os. Rendus chez lui, nous avons été accueillis par un petit bull dog archi-laid qui aboyait et grognait et c'est Bruce lui-même qui vint nous souhaiter la bienvenue. Grand, les épaules carrées, très beau, c'était le «cow-boy» dont toutes les filles rêvaient. Vêtu d'un jean et d'une chemise à carreaux, il portait des bottes à éperons de couleur beige. Sa femme, une très jolie blonde, était accueillante au possible et leur petit garçon, âgé d'à peine un an et prénommé Sam, s'accrochait déjà à ma fille qui avait le tour d'attirer les enfants.

La maison était de style «western» et fort joliment meublée, mais c'est sur le patio, par ce bel après-midi ensoleillé, que s'est déroulée notre entrevue. Pendant ce temps, Kitty avait entraînée Sylvie avec elle afin de promener le petit Sam tout en visitant l'environnement qui était digne d'un village monté pour un film de John Wayne. Très timide,

Bruce Boxleitner rougissait quand je lui parlais de son succès auprès des filles. Il me parla avec amour de sa femme, de son fils et des autres enfants qu'ils désiraient tous deux. Chez lui, rien n'était artificiel et, en dehors des studios, Bruce vivait aussi paisiblement que nous qui rentrons le soir après une dure journée de travail. Je les regardais tous les deux et c'était le vrai petit couple amoureux et sans problème. De toutes façons, Bruce Boxleitner n'était pas du genre à s'en créer. Très humble, il s'empressa de se faire oublier en me posant des questions sur notre climat et notre façon de vivre au Québec. Entrevue terminée, nous avons fait le tour de son ranch et j'ai pu admirer ses chevaux que Sylvie aurait bien aimé monter. C'est donc avec émerveillement que nous sommes partis de chez lui. Je venais de rencontrer des gens extrêmement simples et remplis de bonnes intentions. En voilà un à qui le succès ne montait pas à la tête et c'est sans doute pour cela que sa carrière se poursuit si bien. Récemment, j'apprenais le divorce de Bruce et Kitty et j'en fus bouleversé. J'aurais juré qu'ils étaient pour être ensemble toute la vie sur ce ranch où ça sentait le bonheur. La vie a parfois de ces surprises, mais elle a aussi de ces raisons... que la raison ignore. J'ai quand même, au fond du cœur, un excellent souvenir de cette rencontre et un tas de photos du petit Sam, un autre enfant qui doit bien se demander pourquoi papa ne rentre plus souper! De retour à l'hôtel, plusieurs messages m'attendaient et je sentis soudain que tout allait débloquer. Si la patience est une vertu, la persistance en est une autre. Retrouvant mon énergie, je rendis les appels et l'un d'eux me confirma que le lendemain, j'allais rencontrer, aux studios de la 20th Century Fox, Lauren Tewes et Bernie Kopell, l'hôtesse et le médecin de «La Croisière s'Amuse». Et c'était parti... pour ne plus s'arrêter!

Il était midi lorsque je suis arrivé le lendemain aux studios de la 20th Century Fox. Sylvie n'avait pas pu nous accompagner car la passe émise n'était valable que pour deux personnes. Lina et moi étions attablés à la grande cafeteria des studios où devait se dérouler l'entrevue avec Lauren Tewes, la fameuse «Julie McCoy» de «La Croisière s'Amuse». Sa publiciste était déjà avec nous et la précieuse vedette arriva naturellement avec 20 minutes de retard... ce qui fait plus «star»! Elle portait une jolie robe blanche et ne prit pour tout repas qu'une coupe de vin blanc, ce qui attira davantage l'attention sur elle. Ce n'est pas seule qu'elle arriva, mais au bras d'un très beau jeune Italien de 21 ans prénommé Al. Il habitait Miami et me semblait du genre pas tout à fait «catholique» comme on dit. Avec tout ce qui est arrivé à la pauvre Lauren par la suite, je ne douterais point que ce jeune amant y soit pour quelque chose. Très agitée pour ne pas dire énervée, elle s'exclamait sans cesse et riait de façon à ce que toutes les têtes se retournent. Je mentirais si je vous disais qu'elle n'a pas été gentille et charmante... elle l'a trop été et je sentais qu'elle y mettait tout le paquet pour que mon article soit du tonnerre. De plus, comme elle louche, et que chez elle ça n'ajoute rien à son charme, je me demandais parfois si c'était moi ou le type à l'autre table qu'elle fixait. Elle me raconta sa vie, me parla des hommes et de l'amour avec des intonations à la «Marilyn». Sans vouloir être méchant, elle était loin d'être belle et sensuelle comme la regrettée Monroe. Lauren Tewes, avec ses dents trop en évidence et son petit nez retroussé, ressemblait à l'Américaine moyenne, «the girl next door» comme ils disent. Donc, inutile de jouer les «vamps», c'était raté d'avance. J'eus quand même beaucoup de sympathie pour elle et Lina adora le fait qu'elle se prête de bonne grâce aux photos. Comment en douter! Elle insista même pour revêtir son costume de «Julie» et prit avec moi diverses poses si amicales qu'on aurait pu jurer qu'on avait été élevés ensemble. Avec le recul, je comprends à quel point pouvait être malheureuse cette fille vraiment artificielle dans sa façon d'être. Aux prises avec les drogues, elle perdit son émission et mit beaucoup de temps et d'efforts pour s'en sortir. Lors du voyage que je viens tout juste d'effectuer, c'est une Lauren Tewes très différente que je retrouvai. Mariée et divorcée alors qu'elle était très jeune, elle est remariée depuis décembre '86 et, au moment où vous lirez ces lignes, «Julie» est sûrement maman de l'enfant qu'elle portait lors de notre rencontre. Très humble, plus calme, plus sensible, moins «star» et sortie de son enfer, elle me parla cette fois avec beaucoup de tendresse et alla jusqu'à me dire qu'elle avait déjà été «waitress» du Coffee Shop de l'hôtel que j'habitais. Elle aussi avait commencé comme la petite blonde qui est encore là... mais la chance lui a souri. Non, la Lauren Tewes de cette année n'a plus rien en commun avec celle rencontrée lors de ce voyage en 1981. Le temps... est un bien grand maître!

Une heure plus tard, nous entrions dans le studio et Lina et moi avons pu assister à l'enregistrement de l'un des épisodes de «Love Boat». Sans le savoir, j'étais sur le quai d'embarquement et je pense avoir été filmé parmi tous les autres figurants qu'on ne paye sûrement pas très cher. On tournait la scène du départ et l'actrice Nanette Fabray dut s'y prendre à trois reprises avant de dire correctement son «Hi!» à Julie McCoy.

Je voyais de loin l'acteur Bernie Kopell dans son uniforme du docteur Druker. Il avait l'air vraiment sympathique. Au bout de vingt minutes, il vint nous rejoindre et insista pour aller lui-même nous chercher du café. Quel homme sensible et affable. Je passai une heure entière à m'entretenir avec lui, et très profond dans ses propos, ce fut une entrevue enrichissante. Bernie Kopell n'était pas parti de chauffeur de taxi à acteur sans croiser plusieurs remous en cours de route. Il avait chèrement payé son ascension, mais il n'avait rien oublié de ses origines. En voilà un pour qui le journalisme est un métier honorable. Il a ce respect des gens qui fait de lui un être merveilleux. Peu enclin au vedettariat, Bernie Kopell n'ambitionnait que de bien gagner sa vie et vivre en harmonie auprès de son épouse. Je crois d'ailleurs que le papier que j'écrivis sur lui par la suite fut l'un de mes meilleurs. Dérangé à deux reprises, il avait insisté pour ne plus être interrompu jusqu'à la fin de notre entretien. Ce jour-là, j'aurais certes pris le véritable paquebot et effectué une très longue croisière avec eux. Il y avait, sur le plateau, tous les autres acteurs mais à Hollywood, voici comment ça se passe. Si je suis assigné à rencontrer Lauren Tewes et Bernie Kopell par un publiciste, pas question que je fasse du même coup une entrevue avec Ted Lange ou Jill Whelan. Chaque artiste a son publiciste et rien ne se fait sans l'autorisation de cette personne. Lina et moi avons donc quitté «La Croisière s'Amuse» avec regret, mais avec un tas de photos et deux cassettes bien remplies. De retour à mon hôtel, j'étais vidé car un tel boulot ne se fait pas sans y laisser ses énergies. Dans de tels cas, je calcule cinq minutes pour les mettre en confiance et le reste du temps alloué pour «improviser» une entrevue intelligente. Tout ça est fait sans connaître d'avance le tempérament de la vedette et sans savoir si elle s'est levée du bon pied ce jour-là. Je vous avoue ne plus avoir le trac sauf en de rares exceptions, mais la tension est forte. Ce soir-là, après deux entrevues, c'est avec joie que je suis allé prendre un bon souper au Butterfield, excellent restaurant du Sunset Boulevard. Demain? Bonne nouvelle... puisque j'allais rencontrer Melissa Gilbert, la gentille Laura de «La Petite Maison dans la Prairie».

C'était nuageux en ce vendredi 9 octobre et j'attendais que l'après-midi vienne pour me rendre avec Lina chez Melissa Gilbert. À vingt minutes d'avis, je reçois un appel de sa publiciste qui m'annonce que Melissa doit se rendre en studio et qu'elle ne pourra me recevoir. J'insiste pour savoir si le rendez-vous peut être remis, mais aussi aimable soit-elle, elle me dit qu'elle allait me rappeler à mon hôtel si le cas se présentait. Ayant raccroché, j'étais persuadé qu'il valait mieux en faire mon deuil, mais j'étais navré car Melissa Gilbert était la vedette de l'heure au Québec et une entrevue avec elle eut été un coup de maître. Je ne suis pas resté pour autant sur ma déception et, à défaut de ne pouvoir la remplacer à pied levé, j'ai visionné «The Postman Always Ring Twice» avec Jack Nicholson et Jessica Lange. Sylvie était partie pour la journée à «Knott's Berry Farm» avec René et Marie-Josée et à leur retour, nous avons tous mangé ensemble chez «Daisy», pendant que ces trois «grands bébés» me racontaient leur journée en riant comme des enfants! À Hollywood, on ne travaille pas les fins de semaines et aucun artiste n'accorde d'entrevue à moins que ce soit un débutant qui n'a pas encore d'argent et qui a besoin d'un bon porte-folio pour en décrocher un. J'ai donc accepté d'aller avec les jeunes à «Magic Mountain» et je l'ai amèrement regretté. Mon pauvre cœur en a pris tout un coup en émotions fortes et ceci à cause du «sadisme» d'un René Simard qui insistait pour que je monte dans les manèges les plus invraisemblables. René est un maniaque des manèges les plus fous et c'est dommage qu'il n'ait pas grandi tout comme moi à deux pas du parc Belmont. Il y aurait passé sa vie! De plus, il ne faisait pas chaud en ce jour et j'avais bien hâte de regagner mon hôtel. Le soir, nous sommes allés tous ensemble, Claudine Bachand incluse, au chic restaurant italien La Scala où les célébrités se retrouvent. Nous avons pu y voir Kirk Douglas et son épouse qui dînaient avec Louis Jourdan, le tombeur de femmes des années '50. Je vous avouerai cependant que monsieur Jourdan s'est très bien conservé contrairement à Kirk Douglas qui lui, a terriblement vieilli.

René avait depuis peu son appartement qui se voulait très bien situé et qu'il avait dû meubler lui-même. Marie-Josée était rentrée à Montréal depuis deux jours et Claudine me demanda s'il était possible d'organiser une rencontre entre René et Melissa Gilbert en vue d'un reportage. Je lui annonçai que mon rendez-vous avait été annulé et que je ne savais pas s'il allait être reporté. Comme j'avais approché Alison Arngrim, la méchante «Nellie» de La Petite Maison, Claudine opta pour une première page avec elle et René. Je trouvai l'idée fort bonne d'autant plus que Alison et René se connaissaient depuis leur plus tendre enfance. René avait même séjourné chez les Arngrim lors d'un premier voyage à Hollywood alors qu'il avait 11 ou 12 ans et s'était lié d'amitié avec la petite Alison. Tel que prévu, tout le monde s'amena chez René Simard tôt le matin. Alison arriva avec son père, qui se veut son gérant, ainsi que son publiciste. René était avec Claudine et j'arrivai avec Sylvie qui était curieuse de rencontrer la vilaine «Nellie». Très excitée, cette petite Arngrim, d'autant plus qu'elle était allée à Montréal et qu'on l'avait reçue, grâce au journaliste Jean Lorrain, en véritable vedette. Elle n'avait jamais eu autant de popularité de sa vie et elle me disait à quel point elle n'en était pas encore revenue. J'ai compris son enthousiasme d'autant plus que, à Hollywood, c'est à peine si on se rappelait de son nom. Alors, imaginez sa joie d'avoie une entrevue de première page pour les Québécois et avec René Simard par surcroît. Elle se montra fort gentille, mais mon Dieu qu'elle était énervante avec sa petite voix aiguë et un rire à la minute. Je fis mon entrevue, on prit des photos d'elle et René ensemble et Lina y allait d'un déclic à l'autre. Ils se prirent par la taille pour une photo, se bécotèrent pour une autre et elle appuya tendrement sa tête sur son épaule pour la troisième. Bref, tout pour imaginer la plus belle des romances même si ce n'était pas le cas et qu'ils n'étaient que bons amis, du moins en ce qui concernait René. Alison aurait peut-être rêvé d'une idylle, mais René n'avait que sa petite amie Marie-Josée en tête. Après le départ de «Nellie» et sa délégation, je demandai à Claudine si Marie-Josée était pour apprécier ces photos et Claudine de me répondre : «Ne t'en fais pas Denis, Marie-Josée connaît très bien les règles du jeu et ce ne sont pas ces photos qui vont la déranger!» Comme René semblait d'accord avec elle, j'envoyai mon article ainsi que les photos à Montréal dès que prêtes. Sur réception du colis, mon éditeur s'empressa d'en faire sa première page en laissant supposer un nouvel amour avec point d'interrogation. Il n'y avait vraiment rien de mal à ça d'autant plus que les photos semblaient justifier une telle possibilité, mais Marie-Josée ne le vit pas du même œil. Contrairement aux prévisions de Claudine, elle prit très mal la chose et ses parents également. Évidemment, il fallait vite trouver «un coupable» et le plus à portée de la main était sûrement moi sur qui on jeta vite le blâme. Je n'ai rien dit, je ne me suis pas défendu, j'ai tout encaissé... afin que René et Claudine ne soient pas ennuyés. Le pire, c'est qu'avez la complicité d'un journal, on démentissait la rumeur sans se soucier de ma crédibilité. Par amitié pour René, j'ai tout absorbé, mais je me rappelle m'être ouvert le cœur avec sa mère. Ma fille, qui était avec moi au moment de «l'incident», fut indignée de voir son père payer seul l'addition et je lui avais dit : «Ne t'en fais pas, ce sont là les risques, les désagréments et les injustices du métier dans lequel tu veux gagner ta vie.» Le pire, c'est que mon éditeur avait fait sauter Michel Louvain qui devait avoir cette première page et c'est encore moi qui a encaissé la déception de Michel Louvain qui, en gentleman cependant, ne m'en parla jamais. C'est ma consœur, Suzanne Gauthier, qui s'était chargée de lui expliquer le malentendu et il a compris «lui» que je n'y étais pour rien! Qui donc était coupable du chagrin de Marie-Josée? Nous tous, du premier au dernier, mais c'est moi seul qu'on a décapité. Marie-Josée aurait dû comprendre selon Claudine... mais Marie-Josée n'a pas compris. Cet incident créa un froid entre ses parents et moi et ce n'est qu'avec le temps, je pense, qu'ils ont compris pour ensuite clore l'incident. Au moment où j'écris ces lignes, Marie-Josée et René sont en voie de se marier et, au moment où vous lisez ces lignes, c'est déjà fait. Ils sont toujours de bons amis pour moi et plus rien de cette histoire ne substiste aujourd'hui. Si je l'ai sortie ainsi de ma mémoire, c'est qu'elle fait partie de la vie d'un «journaliste à Hollywood» et non d'ici. C'était là mon premier désagrément, et c'est bien pour dire, il fallait que ça m'arrive avec un artiste québécois!

Il est deux heures de l'après-midi et j'ai une fois de plus rendez-vous avec Richard Hatch, mais chez lui cette fois. Imaginez la joie de Sylvie. Elle allait enfin voir de près «son idole» et peut-être lui poser quelques questions. Folle de lui parce qu'il était beau, les posteurs du Capitaine Apollo ornaient sa chambre avec ceux de Travolta. Nous sommes arrivés chez lui à Beverly Hills et je trouvai sa maison gentille mais sans éclat. Sylvie ne le quittait pas des yeux et je sentais son cœur battre à tout rompre. Pourtant, aussi beau était-il, Richard Hatch avait déjà 34 ans, ce qui était loin de la génération des adolescentes. Vêtu d'un pantalon brun en corduroy et d'une chemise bleue, ce qui n'allait pas ensemble, je le remarquai, mais pas ma fille qui le trouvait aveuglément merveilleux. Il la serra dans ses bras, posa avec elle... et elle en rêva jusqu'au printemps suivant! Il est évident que je l'ai revu pour d'abord faire plaisir à ma fille, mais il s'avéra que cette fois, Richard Hatch en avait long à dire. Seul, sans personne dans sa vie, père d'un fils de 14 ans, il était anxieux et très insécure. «Galactica» ne marchait plus aux États-Unis et il venait de terminer un film intitulé «Charlie Chan and The Dragon Queen», qui s'était avéré un lamentable échec. Son état d'âme semblait à la baisse et il avait envie d'être franc. Sa publiciste, qui était sur les lieux, s'empressa de me dire : «Avec son prochain film, Richard va faire creuser une piscine!» Richard la regarda et lui demanda : «Pourquoi lui dis-tu cela?» Puis, se tournant vers moi, il m'avoua le plus naturellement du monde : «Non Denis, avec mon prochain film, je vais tenter de sauver ma maison!» Quel aveu intègre et spontané. Je vois encore sa publiciste, la bouche ouverte, ne sachant que dire. Et Richard Hatch de poursuivre l'entrevue. Je n'ai jamais su s'il avait réussi à garder sa maison car je ne me souviens pas avoir vu d'autres films avec lui depuis. J'en parlai à Lina lors de mon dernier voyage et elle m'avoua ne plus savoir ce qu'il faisait maintenant. Dernièrement, lors d'un parcours, je demandai à un photographe de métier qui m'accompagnait : «Dites-moi, qu'est donc devenu Richard Hatch?» et il me regarda perplexe pour ajouter : «Richard... qui?» C'est ainsi que naissent et meurent les idoles à Hollywood. Un jour au sommet et le lendemain au rejet. Son partenaire d'antan, Dirk Benedict, a été plus chanceux que lui en décrochant un rôle dans «The A-Team». Je ne sais donc pas ce qu'est devenu Richard Hatch et peut-être le reverrai-je un jour dans un «come back» à la télévision. Chose certaine, j'ai gardé et garderai toujours un excellent souvenir de lui. Et dire que ce soir-là, Sylvie avait téléphoné à Montréal à ses amies pour leur dire : «Devinez qui je viens de rencontrer?»

Le temps d'une douche après une telle journée et j'étais allé voir René Simard à l'un de ses cours de danse. Plus agile qu'une gazelle, plus vif qu'un chat, il n'avait rien à envier à personne, croyez-moi.

D'ailleurs, dans chacun de ses spectacles depuis, je reconnais quelques mouvements précis de ce que Hollywood lui a appris.

Voilà que ça ne dérougit pas et que les appels affluent maintenant. Il faut dire que j'avais téléphoné à de multiples publicistes et qu'il était temps que je récolte un peu de ma semence. À 8 heures du matin, un coup de fil m'avise que je dois me rendre chez Randi Oakes pour 9 heures. Je ne sais trop si vous vous souvenez d'elle, mais Randi était la jolie blonde qui jouait le rôle de « Bonnie » dans l'émission « Chip's ». De plus, elle est aujourd'hui l'épouse de Greg Harrison, le jeune docteur de « Centre Médical ». À ce moment, Randi Oakes était fort populaire et très en vue à titre de partenaire de Érik Estrada et Larry Wilcox. Aujourd'hui? je me demande ce qu'elle peut bien faire côté carrière. C'est curieux, mais sans malice, je ne lui avais pas prédit long feu et je l'avais même avoué à Lina à l'époque. Comme elle habitait en banlieue de Hollywood, à Sherman Oakes plus précisément, il fallait compter 45 minutes de trajet. C'est d'ailleurs à son petit patelin que Randi avait emprunté son nom de famille pour faire carrière. Nous arrivons enfin chez elle à 9 heures précises, tous les deux essoufflés par la course... et « madame » venait à peine de se lever. Elle était donc ni coiffée, ni maquillée. Lina était furieuse et j'ai dû la retenir pour ne pas qu'elle parte. Heureusement que c'est moi qui la payais autrement, je la perdais. Tout comme si elle avait été Lana Turner dans ses plus beaux jours, il a fallu plus de deux heures à Randi Oakes avant qu'elle ne soit prête. Coiffeur, maquilleur et j'en passe, s'étaient affairés sur elle avec le résultat... qu'un salon d'ici aurait fait mieux en moins d'une demi-heure. Cheveux blonds et raides juste retroussés dans le bas et ça leur avait pris tout ce temps-là. Heureusement que sa publiciste a eu la bonne idée de nous offrir un café car ce n'est pas elle qui y aurait pensé. Habillée comme une poupée, j'avoue qu'elle était ravissante, mais moi qui l'avais entrevue de loin au lever, il y avait là toute une différence. Posant telle une « star », choisissant son bon profil, elle savait adroitement se donner une image. J'ai pu enfin partir mon enregistreuse et avoir droit à l'entrevue la plus insipide de ma carrière. J'aurais pu ramasser son curriculum vitae et je suis sûr que j'en aurais eu plus long à dire. Randi Oakes avait de ces réponses futiles et j'ai vite compris que les photos l'intéressaient beaucoup plus que les propos. Peu profonde, très superficielle, j'ai presque eu envie de lui demander la marque de son dentifrice. C'est d'ailleurs à l'aide de renseignements venus de sa publiciste que je pus construire un article intelligent sur elle. C'est donc avec joie que nous avons pris congé d'elle et, tout au long du retour, Lina ne cessa de jurer contre elle, du fait qu'elle nous avait fait attendre deux heures. Pour moi, c'était différent car aussi plate était-elle, j'avais enfin la fameuse « Bonnie » de Chip's à offrir en pâture à mes lecteurs!

Je venais à peine de regagner ma chambre d'hôtel qu'Il me fallut rappeler Lina chez elle. «Lina, êtes-vous prête? Mickey vient de me téléphoner et je rencontre Loni Anderson à 2 heures.» Il était une heure trente au moment de cet appel et nous n'avions même pas eu le temps de prendre une bouchée. À présent, tout allait bien et mes demandes étaient de plus en plus satisfaites. Robert Stack m'avait ouvert bien des portes puisque c'est le magazine avec son entrevue que je postais aux publicistes.

Loni Anderson, qui était à ce moment la vedette de la série «WKRP In Cincinatti», était plus que populaire. Sex-symbol par excellence, elle venait aussi de personnifier Jayne Mansfield à l'écran. Cette très belle femme m'avait impressionné dans son film et j'avais une hâte fébrile de la connaître. En route pour les Studios ABC, où je devais la rencontrer dans sa loge, je n'espérais qu'une chose, c'est qu'elle ne soit pas du genre «sois belle et tais-toi». Elle avait bien spécifié à son publiciste qu'elle ne voulait pas que ma photographe la prenne seule en photo. Elle n'acceptait que la photo avec moi, car elle ne posait habituellement qu'en studio. J'arrivai à l'heure convenue avec un certain malaise, car l'entrevue ne devait durer que vingt minutes selon son emploi du temps. Loni était en plein tournage d'un épisode. Comme tout était fait à l'extérieur, sa loge était une roulotte dans laquelle nous étions très à l'étroit avec la garde-robe qui s'y trouvait. Il y avait, par contre, un beau divan et c'est là que Loni m'invita à m'asseoir avec le plus accueillant des sourires. Elle m'offrit un verre et j'optai pour un martini qu'elle prit avec moi. Au bout de cinq minutes, je savais que j'avais sa confiance. Très intelligente, parlant musique, enfants, arts, carrière, vie amoureuse, Loni Anderson se livra à cœur ouvert et les vingt minutes allouées se transformèrent selon son désir en une heure entière. Assis en face d'elle alors qu'elle était au faîte de sa gloire, je vous avoue avoir eu une drôle de sensation. De plus en plus, je ne me sentais plus comme un «quêteux d'entrevues» mais comme un journaliste chevronné qu'on recevait du Canada avec beaucoup d'égards. J'avais presque fini de me sentir «à l'affût de» et de plus en plus, je sentais que les publicistes étaient à leur tour à l'affût du Lundi. Ceci dit sans prétention, le magazine était bien accueilli et l'homme aux cheveux gris sur les tempes que j'étais, fort bien respecté. On comparait Le Lundi au magazine People et aussi à Us, deux revues très appréciées aux États-Unis, ce qui était flatteur. À Hollywood, et c'est d'ordre général, on dédaigne les journaux mais on adore les magazines. Loni Anderson, qui était savamment maquillée, avait les cheveux enfouis sous une casquette de cuir brun. Très belle de près comme de loin, elle arborait un parfum qui allait de pair avec la sensualité de ses lèvres. Douce, très prenante quand elle parlait de sa fille unique, je pouvais sentir la tendresse qui l'habitait. Je la quittai vraiment fier de cet entretien en lui souhaitant tout le bonheur possible. Je l'aurais certes embrassée sur les deux joues comme on fait ici, mais ces accolades ne sont pas à la mode aux États-Unis. Depuis ce jour, Loni Anderson a fait la manchette avec Burt Reynolds et a aussi tourné dans une série intitulée «Partner in Crime» avec Lynda Carter. Cette série n'eut pas le succès escompté et c'est dommage, car cette femme a énormément de talent. D'une série à une autre, elle est toujours présente, mais c'est le cinéma qui devrait lui donner la chance de se prouver. Chère Loni de mes souvenirs, sachez que je vous le souhaite de tout cœur!

Moi qui se plaignais, moi qui craignais ne pas avoir de travail à faire, je suis à peine de retour à l'hôtel que le téléphone sonne et c'est Miss Green qui me confirme, suite à ma demande, un rendez-vous avec le jeune Willie Aames de la série «Huit ça suffit» pour le lendemain. Il est évident que Sylvie tenait à m'accompagner cette fois, elle qui n'en avait pas manifesté le désir pour Loni Anderson! À 9 heures du matin, le lendemain, alors qu'il faisait très beau, nous étions tous attablés au «Melting Pot» en train de déjeuner avec Willie Aames. Âgé de 21 ans à ce moment-là, Willie Aames en paraissait à peine 17 avec ses cheveux bouclés et son petit anneau d'or à l'oreille. Déjà marié à sa Victoria dont il est aujourd'hui séparé, il m'avait montré des photos de sa femme et elle était loin d'être jolie. Père d'un petit garçon, il m'avait candidement avoué que le fait d'être marié lui avait fait perdre un tas d'admiratrices.

À Hollywood, c'est le rêve constant et si l'idole d'un millier de filles se marie, au moins la moitié le laisse tomber pour se chercher un autre acteur dont elles pourront rêver. Un peu intimidé au départ par la présence d'une belle fille à la table, Willie rougissait pour un rien et se positionnait sans cesse sur sa chaise. Il me parla de son meilleur ami Scott Baio et très peu de sa petite famille. Père-enfant, on sentait qu'il avait de la difficulté à assumer cette tâche. Vêtu d'un pantalon beige et d'un t-shirt, il se confia tel un adolescent et fut plus que poli et très gentil. Willie Aames était ce qu'on appelle «un bon p'tit gars» même s'il m'avouait plusieurs erreurs de jeunesse alors qu'il était membre d'un orchestre. Il voulait devenir chanteur et il devint acteur. À la fin du déjeuner, après que Lina eut pris un tas de photos, il offrit à Sylvie de la reconduire à l'hôtel dans sa Porsche rouge décapotable flambant neuve. Ma fille apprécia fort cette randonnée même s'il avait le pied très pesant pour l'impressionner. Très courtois, il lui avait même ouvert la portière de la voiture et j'ajouterai que si ma fille n'eut pas été honnête, elle aurait pu avoir «une date» avec lui le soir-même. Marié ou pas, Willie Aames savait reconnaître une belle fille... et marié ou pas, en ce qui concerne Sylvie, Willie Aames était loin d'être Richard Hatch !

Très populaire dans son rôle de « Tommy » dans « Huit ça suffit », Willie Aames rêvait de faire du cinéma et non seulement de la télévision. Le succès de Chris Atkins avec son « Lagon Bleu » semblait le fatiguer et c'est sans doute pourquoi il accepta de tourner avec Phoebe Cates dans « Paradise ». Malheureusement pour lui, Willie n'avait pas le sex-appeal de Chris Atkins et son film n'obtint pas la faveur du public. Qu'est-il devenu lui aussi ? Excellente question, car j'avoue ne pas avoir entendu parler de lui depuis... lui qui rêvait comme tant d'autres d'être un Robert Redford... tome 2 !

À peine le temps de reprendre notre souffle et nous somme partis tous les trois aux studios de la 20th Century Fox rencontrer nul autre que Greg Harrison, le fameux petit docteur de « Centre Médical ». Ils étaient en plein tournage de l'émission de Noël et il était drôle de voir des figurants se promener en Pères Noël avec le gros habit rouge et la barbe blanche... sous les palmiers ! Ils étaient là à suer comme des chevaux de course et comme l'épisode se voulait une chasse au faux Père Noël, au moins dix figurants étaient coincés dans cet accoutrement pour sans doute... très peu d'argent. J'attendis Greg Harrison tout près de sa roulotte qui lui servait de loge. Il arriva enfin, habillé de son « jean », son éternel chandail rayé et son sarrau blanc, tout comme dans l'émission. Il avait encore son stétoscope autour du cou. Très amical, il nous salua tous les trois et son regard de séducteur s'arrêta sur le chandail de Sylvie pour ensuite la dévisager des yeux jusqu'aux talons hauts. IL semblait s'y connaître et le genre « femme intelligente mais féminine » semblait l'attirer. C'est sans doute pour ça que Randi Oakes, qui était sa fiancée à l'époque avant de devenir sa femme, était sans cesse chez le maquilleur et le coiffeur. Très à l'aise dans sa roulotte où le jus de pomme est à l'honneur, Greg Harrison se confie avec intelligence et beaucoup de discernement. Il louche quelque peu et ça semble plaire aux femmes selon son agent. Front très large, cheveux bouclés, il est très bien de sa personne et compte mettre tout en œuvre pour devenir (lui aussi) un grand acteur. Je n'avais que trente minutes avec lui car on se devait de terminer le tournage l'après-midi même. Stressé par l'épisode ardu, Greg Harrison n'en laissa rien paraître et m'accorda avec grand respect, tout le temps qui m'était alloué. En sortant de la roulotte où j'étais en train de crever de chaleur, je croisai Pernell Roberts qui me fit signe de la main avec un « Hi » très amical. Comme j'aurais aimé l'interviewer, mais « business » oblige et il m'aurait fallu contacter son publiciste. Je me suis donc dit « Bah ! ce sera pour une autre fois ! » Greg Harrison nous quitta avec un beau sourire et ma fille eut droit à un clin d'œil dont plusieurs auraient été pâmées. Elle se contenta de lui sourire gentiment. Elle ne lui trouvait aucun charme et je dis bien aucun, sourire inclus. Lina, qui l'avait trouvé beau garçon, tenta de le gagner à la cause de Sylvie. Peine perdue, ma fille resta de marbre. Avec le temps, j'ai toujours suivi la carrière de Greg Harrison et je me suis rendu compte que sa popularité tenait encore à «Centre Médical» qui le marquera longtemps. Il y a des acteurs, tel Richard Chamberlain qui a réussi à se sortir de la peau du «Docteur Kildare» pour devenir une bête de cinéma, mais je ne crois pas que ce soit le cas du mari de Randi Oakes. Il a bien sûr tourné dans le film «For Ladie's Only» où il incarnait un danseur nu... ou presque et le film obtint un certain succès auprès des femmes, car il faut admettre que Harrison, dans la force de ses 35 ans, a tout ce qu'il faut pour plaire. Par contre, tel n'était pas là son but. Rêve-t-on seulement d'être un second Al Pacino qu'il faut d'abord en avoir la gueule... ce qui n'était pas encore le cas de Greg Harrison, loin de là. Nous avons assisté à l'enregistrement de l'émission de Noël et la façon dont on monte les décors est incroyable. Tout se fait à une telle vitesse... mais faut dire qu'il y a beaucoup de monde sur le plateau et que les budgets ne sont pas ceux de nos réseaux!

C'est nettement épuisé cette fois que j'ai regagné mon hôtel et un autre message m'attendait. Le lendemain, nous allions rencontrer Lou Ferrigno, mais chez lui cette fois. Je pris le papier et le froissai comme si j'en étais rendu à hésiter, moi qui, huit mois plus tôt, rêvais de faire une première entrevue... ne serait-ce qu'avec «Dumbo!» Fatigué certes mais juste assez pour me rendre dans un grand magasin de disques et trouver des reliques, comme les microsillons de Marlene Dietrich, Mae West, Marilyn Monroe et Deanna Durbin. Le collectionneur que je suis en fut très satisfait.

C'était notre dernière journée en Californie et, à 10 heures du matin, nous étions tous les trois dans un quartier moyen de Santa Monica juste en face de la maison de Lou Ferrigno qui était loin d'être celle que le guide nous avait fait voir à Beverly Hills. De plus, aucune camionnette avec plaque immatriculée «Hulk» n'était à la porte... ce qui nous a bien fait rire tous les trois. C'est une bonne qui vint nous ouvrir et comble de chance, son épouse Carla, celle qui parle pour deux, n'était pas là. Il y avait sa publiciste et une gardienne car les Ferrigno avaient maintenant une petite fille d'environ dix-huit mois. Le gros «Monsieur Muscle» portait un pantalon brun et un t-shirt beige qui mettait en valeur tout ce que Michel-Ange aurait voulu peindre. Gêné par la présence d'une jeune fille, il fut encore plus maladroit que la première fois dans ses réponses. Toujours sourd comme «un pot», Sylvie lui lança: «You have a lovely daughter» et il lui répondit «O.K.». Sa maison, vraiment à l'italienne, était lourde de draperies sombres et fleuries. Lou Ferrigno avait sans doute besoin de se sentir dans l'environnement de «sa maman». Il parlait sans cesse de sa Carla et quand Lina lui demanda de prendre une photo avec la petite, il lui répondit: «Non, Carla n'est pas là et c'est à elle qu'il faut demander la permission!» Gros nounours, va! Carla décidait encore de tout et j'ai eu envie de le lui dire. Tentant de lui expliquer qu'une telle photo ferait «plus familial», sa publiciste me répondit: «Voyez-vous, Carla ne veut pas exploiter sa fille pour mousser la carrière de Lou!» Je n'insistai pas et me contentai de sourire. Madame ne voulait pas exploiter sa fille... allons donc, je la connaissais assez pour savoir que Carla avait donné cet ordre tout simplement parce qu'elle ne pouvait être là sur la photo. Et je n'avais pas tort puisque deux semaines plus tard, Lou Ferrigno, Carla et LEUR FILLE faisaient la première page du National Enquirer!

Donc, ce matin-là, on parla de tout et de rien (ce qu'il y a de mieux à faire avec lui) et, à un certain moment, alors qu'Il entendait très bien ce que je disais, ses réponses étaient si faibles en teneur que j'ai quasiment cru à l'adage qui dit des culturistes: «Tout dans les bras, rien dans la tête!» Là, je me sens quelque peu méchant, mais comme j'ai décidé d'être franc en écrivant ce livre, c'est exactement ce que j'ai pensé, donc inutile de m'en cacher. Je sais fort bien cependant que le dicton ne peut être d'ordre général et qu'il y a des culturistes doués d'une vive intelligence. Le problème, c'est que dans le cas de Ferrigno, ce n'était guère évident. Nous avons donc pris des photos et Lou me demandait, au nom de Carla bien entendu, si l'article allait faire une première page. Ce à quoi je répondis avec tact: «Avec votre fille, sans doute, mais juste comme ça, je ne vois aucun angle particulier pour le justifier.» Cette réponse a dû mettre Carla en furie... mais tant pis. On ne peut quand même pas plaire à Dieu et à tous ses saints sans recevoir quelques grâces en retour. C'était toujours la guerre entre Lou et Arnold Schwarzenegger d'autant plus que ce dernier venait de tourner «Conan le barbare» qui remportait un succès monstre auprès des jeunes. C'est pourquoi, après «Hulk», Lou Ferrigno devint «Hercules» au cinéma, mais avec un succès moindre que celui de son compétiteur. On n'a qu'à regarder l'ascension d'Arnold pour s'apercevoir que le Hongrois avait certes plus de talent que l'Italien. Mais ça, Lou Ferrigno n'en savait rien... parce que Carla ne le lui avait pas encore dit!

Il y avait affluence entre Santa Monica et Beverly Hills et ça nous a pris plus d'une heure pour le retour avec une Lina qui, en «digne Parisienne», gueulait après tous les automobilistes. Elle était sortie de Paris vingt-cinq ans plus tôt... mais Paris n'était jamais sorti d'elle!

45

Elle gesticulait, klaxonnait pour un rien, s'emportait, et je faisais tout pour la calmer, pendant que sur la banquette arrière, Sylvie était morte de rire !

J'avais prévu préparer nos valises au cours de l'après-midi lorsqu'à 2 heures, le téléphone sonna. C'était Miss Charlotte qui me disait que je pouvais rencontrer Melissa Gilbert à 4 heures chez elle si je le désirais encore. J'en étais fou de joie. Voilà que mon fameux coup de maître allait réussir et juste avant de partir à part ça. C'était vraiment pour un journaliste rempli de bonne volonté, ce qu'on appelle vulgairement «la cerise sur le sundae» ! J'appelai Lina qui, malgré l'épuisement des dernières heures, accepta de bon gré de m'accompagner jusque chez Laura Ingalls, sachant à quel point c'était important pour moi. J'avais tellement peur que l'entrevue soit une fois de plus annulée que je préférai quitter la chambre et attendre Lina pendant trente minutes dans le lobby. Elle arriva pile et nous partîmes tous les trois vers les collines les plus élevées pour nous rendre chez la chère Melissa qui avait à ce moment, tout juste 17 ans. Nous avons failli nous perdre, mais comme Lina est bonne boussole, nous avons vite retrouvé notre chemin et l'auto s'immobilisa devant une splendide résidence à la devanture très luxueuse. Il y avait là assez de place pour stationner au moins dix automobiles. Nous sonnons et c'est Charlotte, sa publiciste, qui nous ouvre pour nous introduire dans un salon où la mère de Melissa nous reçoit. Quelle étrange femme que cette Barbara. Vêtue telle une actrice, maquillée lourdement, coiffée style «vamp» et munie de grosses boucles d'oreilles en pierres du Rhin en plein après-midi, elle nous examinait tout en parlant très lentement... un verre de whisky à la main. Une petite fille d'environ 5 ans était à ses côtés. C'était Sara, la sœurette de Melissa, qui était très agitée et qui semblait gâtée au possible. Barbara nous offre un verre que je suis seul à accepter et je parle avec elle quand la porte s'ouvre pour livrer passage à Melissa qui était fort en beauté ce jour-là. Pantalon noir seyant, talons hauts, chemisier blanc, débardeur à carreaux verts, elle était très bien maquillée et ses cheveux étaient sur ses épaules retenus par un ruban. Ravie de me rencontrer, elle fut encore plus charmée de connaître Sylvie qui n'avait que deux ans de plus qu'elle et avec qui elle échangea des propos de son âge. À un certain moment, son frère Jonathan, âgé de 14 ans, arrive et elle me le présente. C'est d'ailleurs lui qui joue le rôle de Willie, le frère de Nellie dans La Petite Maison. Sa mère était ravie d'apprendre que l'émission avait autant de succès au Québec, mais comme elle était aussi productrice de films, elle me parla du «Journal d'Anne Frank» que Melissa allait bientôt tourner et qui fut un grand succès. On prit plusieurs photos, on s'amusa ferme et Melissa fit visiter sa maison et sa piscine à Sylvie qui la trouvait vraiment sympathique. Très simple dans ses gestes et sa façon de s'exprimer, on sentait qu'elle avait le besoin de vivre pleinement sa vie et non seulement devenir une vedette de cinéma. Elle avait peu d'amis de son âge, mais elle était déjà amoureuse de Rob Lowe avec toute la joie et la peine qu'elle allait en retirer avec le temps. Je voyais Lina qui prenait une énorme quantité de photos et je me disais qu'enfin, je n'étais pas venu en vain, même si toutes mes autres entrevues se voulaient fortes. Le fait était que La Petite Maison était à ce moment l'émission la plus regardée au Québec et jamais surpassée depuis. Les traductions américaines étaient peu nombreuses à ce moment et les personnages de l'émission étaient chers au public. J'irais jusqu'à dire que tous les acteurs étaient des vedettes appartenant au Québec, tellement c'était fort. La Petite Maison dans la Prairie aura fait verser bien des larmes et apporter bien des sourires pendant plus de sept ans. Et voilà que j'avais enfin une vedette de cette émission et pas la moindre, puisque toute l'histoire était basée sur la vie de la véritable «Laura Ingalls» que Melissa interprétait avec brio. Son frère, sa mère, sa sœur, son chat, tous étaient là bien en chair devant moi. Melissa nous fit bien rire lorsqu'elle nous raconta qu'un garçon lui avait déjà envoyé un chèque au montant de $3.00... avec une demande en mariage! Avec cette entrevue obtenue de peine et misère, je venais de relever en entier le défi que je m'étais lancé. Je voyais déjà les yeux de mon patron de l'époque quand je lui mettrais toutes ces photos sur son bureau. Je voyais aussi les lecteurs du Lundi, satisfaits d'avoir enfin dans le magazine, leurs vedettes préférées rencontrées en personne. Je voyais tout ça et je me frottais les mains de contentement. Ce n'était pas la modestie qui m'étouffait, seriez-vous portés à dire, mais il avait été dur et long ce combat et je vous en épargne les armes. Le fait de cumuler les victoires me rendait fier comme un paon sans savoir encore que ma carrière de journaliste à Hollywood n'en était qu'à ses débuts.

Je quittai donc cette chère Melissa et sa famille avec beaucoup de regret. Sylvie quittait par le fait même une amie d'un après-midi mais elle prit soin de noter son adresse personnelle pour lui poster, deux mois plus tard, une gentille carte de Noël. Nous avons redescendu la côte d'Encino en Californie, ravis mais épuisés par cette dure journée. Melissa Gilbert a fait beaucoup de chemin depuis et a tourné dans plusieurs films, même si sa carrière se veut en ce moment hésitante. Elle a du talent à revendre et je suis sûr qu'avec le temps, elle sera une très grande actrice. Il y a deux ans, lors d'une autre remise de trophées, je l'ai rencontrée par hasard et elle s'est rappelée de moi allant jusqu'à me présenter son précieux Rob Lowe, jeune acteur et l'élu de son coeur. Refaisons un pas en arrière et retrouvons-nous alors de retour à l'hôtel et allongé sur mon lit, je me demandais où j'avais pu puiser toute cette énergie. Il m'en resta encore assez pour aller rejoindre Claudine et René pour le souper. Je leur racontai ma journée et comme tout s'était déroulé à la dernière minute, je n'avais pu rejoindre René pour l'inviter à nous accompagner. Aujourd'hui, je me dis que ce fut sans doute mieux ainsi, car avec tout ce qui s'ensuivit, avec Melissa... sa petite Marie-Josée aurait encore aimé moins ça! Il faut dire qu'elle était bien jeune à ce moment et qu'aujourd'hui, elle en sourirait sûrement, mais une jeune fille en amour, c'est une jeune fille en amour et le cœur a ses raisons que la raison ignore, n'est-ce pas? Marie-Josée Taillefer sera sûrement d'accord avec moi!

Nous sommes le 16 octobre 1981 et je n'ai pas dormi de la nuit. Trop fatigué par le périple, j'étais déjà prêt à 5 heures du matin pour le retour. Sylvie et moi savions quel voyage nous attendait. De Los Angeles à Vancouvert et là, quel gâchis, une attente de quatre heures parce qu'il n'y avait pas d'avion de disponible pour Montréal. Nous sommes finalement rentrés à onze heures du soir avec le fameux décalage horaire et nous venions de manquer le dernie jour de l'été des Indiens. Sylvie Landry ne fait plus partie du métier ou si peu. Âgée aujourd'hui de 25 ans, ma fille a préféré une carrière dans l'enseignement. Lui ayant offert le sentier de la facilité, elle préfère le dur apprentissage de l'université et après le bac, s'exila en Saskatchewan où elle gagne sa vie à titre de professeur de langue seconde. Que de détermination, que de courage et voilà qu'elle est de retour à Montréal pour entreprendre une maîtrise à McGill pour les enfants inadaptés. C'est un dur métier que celui de son père et si on n'en pas la passion, mieux vaut l'oublier car c'est sans cesse dans l'improvisation que tous ceux qui le font le vivent.

Et c'est ainsi que se termina mon second voyage que ma fille n'a jamais oublié. Elle m'en reparle encore parfois, avec nostalgie, même si Richard Hatch ne la fait plus frémir et même si Travolta a fait place aux personnages de l'Histoire de France. Ainsi va la vie, on avance, on change, on recule parfois, on oublie, on se rappelle et c'est l'heureux retour aux sources. Moi, c'est au gré de ma plume que se traçait mon inévitable destin. Ne suis-je pas en train de le prouver en écrivant le manuscrit complet de ce livre... à la main?

DE ESTRADA À
MADAME INGALLS

Jeudi, 28 janvier 1982 et il fait un de ces froids à geler les rats vivants. Les Fêtes s'étaient bien passées et mes entrevues à Hollywood faisaient fureur dans Le Lundi. Le courrier que je recevais en réclamait davantage et les lecteurs me suggéraient des noms tout en me demandant l'autographe d'un tel pour leur fille ou la photo dédicacée de leur idole. Dans mon entourage, photographes, journalistes, parents et amis, tous voulaient être «mes porteurs de bagages». C'est pourtant seul que je pris mon avion ce matin-là, heureux de fuir l'hiver et ses tempêtes et anxieux de «m'épuiser» encore une fois à chercher agents et publicistes. Pour moi, c'était devenu une drogue que de me rendre là-bas et d'y revenir fier comme un paon, d'autant plus que je ne savais jamais d'avance ce qui allait m'arriver. Plusieurs croient que de Montréal, on peut arranger toutes les rencontres qu'on veut faire à Hollywood. Foutaise! J'ai essayé et ça n'a absolument rien donné. On me disait à chaque fois: «Appelez-nous quand vous serez ici et l'on verra ce qu'on peut faire!» C'est donc impulsivement que je m'y rends chaque fois, laissant ma bonne étoile me porter chance... ou déveine.

Escale à Toronto et je suis pris là pendant une heure avant de décoller à cause d'une tempête qui y fait rage. Les gens avaient peur et je n'étais pas plus brave qu'eux mais au-dessus des nuages, je réussis à tout oublier, sachant que j'étais en route pour le soleil et non l'enfer. Neuf longues heures interminables cette fois et je pose enfin mon pied sur un sol sans neige. Arrivé à mon hôtel, j'ai laissé un message sur le répondeur de Lina la priant de me rappeler le lendemain et vaincu, je suis tombé dans le sommeil du juste.

Le lendemain, j'ai des nouvelles de Lina qui me dit à quel point elle est heureuse de me savoir là. On se donne rendez-vous pour le souper et je profite de cette journée pour établir des contacts, placer des appels, laisser des messages et attendre qu'on me rappelle... de mon balcon où je prenais le soleil de Sunset. À six heures précises, j'étais dans le hall et j'attendis Lina... en vain jusqu'à sept heures. Je n'en revenais pas. Il lui était sûrement arrivé quelque chose. Elle si ponctuelle, pourquoi n'appelait-elle pas? Je m'imaginais le pire sachant à quel point elle conduisait vite. J'appelais chez elle mais j'étais sans cesse aux prises avec son fameux message enregistré qui répétait son boniment. Très inquiet, j'appelle la police et leur demande d'aller vérifier chez elle, mais on refuse sous prétexte qu'il me faut être sûr de quelque chose avant qu'ils n'interviennent. En un mot, ils y seraient allés si je leur avais dit qu'elle était morte... assassinée! Je ne pouvais m'y rendre, car là où elle habite, c'est très sombre le soir et de plus, le taxi m'aurait coûté une fortune. Lina habite dans la vallée et pour rien au monde je n'aurais voulu y monter le soir de peur d'être devant une évidence terrible. Les pires idées me traversaient l'esprit, mais comme les policiers m'avaient recommandé de téléphoner dans les hôpitaux, je me mis en frais de le faire à l'aide de l'annuaire. J'en appelai un de la région, puis un autre et à chaque fois, il me fallait attendre au moins dix minutes avant de me faire dire qu'il n'y avait personne de ce nom à l'urgence. J'en appelai un troisième, le Presbyterian Hospital de Hollywood... et eureka! La voilà qui s'amène au bout du fil et je pus enfin savoir ce qui s'était passé. Juste avant de venir me rencontrer, Lina était allée faire une course pour sa vieille maman de 84 ans. Elle lui avait demandé de l'attendre dans l'auto, mais la vieille dame, s'étant risquée à sortir, avait fait une chute terrible et Lina la retrouva baignant dans son sang. Un bras brisé, d'autres fractures, bref, c'était assez grave et c'est de toute urgence qu'on l'avait conduite à l'hôpital. Dans sa vive inquiétude, aux prises avec les questions des médecins, l'enquête des autorités... Lina avait complètement oublié notre rendez-vous et quand elle s'en souvint, elle ne put se rendre jusqu'à un téléphone, car sa mère, qui ne comprenait pas un traître mot d'anglais, se tenait agrippée à son bras. J'avoue avoir été rassuré quoique désolé pour cette vieille dame très sympathique que j'avais déjà rencontrée. Lina s'excusa, ce qu'elle n'avait surtout pas à faire dans un tel cas et promit de me donner de ses nouvelles dès le lendemain. Seul, je décidai d'aller prendre un verre pour me remettre de mes émotions. Voilà qui augurait bien mal tout le travail que j'escomptais faire. Allais-je avoir à me chercher un autre photographe? J'espérais bien que non, d'autant plus que le lendemain soir, je devais assister pour la première fois avec Lina à la fameuse remise des Golden Globe Awards. Mon smoking était prêt et la caméra de Lina également. Je vous avoue avoir très mal dormi cette nuit-là.

Complet noir, chemise blanche, noeud papillon et voilà que je suis prêt pour assister aux Golden Globe Awards. Lina m'avait téléphoné et comme sa mère était maintenant hors de danger, elle avait pu la quitter et venir avec moi à cet événement diffusé partout en Amérique et même au Canada à cette époque. L'an dernier, je les avais vues entrer toutes ces personnalités guindées. Je m'étais juré d'y être l'an prochain de cette parade des étoiles. Alors, voilà que j'y étais et que les cordons rouges s'ouvraient également devant moi. Cette soirée, à $200. le couvert à ce moment, n'était pas ouverte au public. On y retrouvait donc que les artistes, les agents, les publicistes, les producteurs, les journalistes... et les «starlettes» en mal de gloire! Sous l'égide de la «Foreigh Press» (presse étrangère) des trophées sont remis chaque année aux acteurs et ce, dans toutes les catégories, aussi bien à la télévision qu'au cinéma. C'est la soirée rivale des « Academy Awards » qui suit de près et j'ai remarqué qu'on s'arrangeait souvent pour remettre des « Oscars » à des films ou acteurs qui n'avaient pas gagné de « Golden Globe Awards ». Une façon justifiée pour eux de ne pas arriver bon deuxième !

Cette soirée débute par un somptueux banquet où l'on nous sert des entrées rares, des plats de résistance exquis et des desserts inégalés. Le tout arrosé de vins blancs et rouges importés de France, bien entendu. Assis à la table de « la presse étrangère », à la place qu'occupait habituellement Lina, je ne connaissais personne et c'était là le dernier de mes soucis. On me regardait de façon étrange en voulant dire : « Mais d'où sort-il celui-là ? » Comme ce sont des tables rondes de dix personnes, quand on ne connaît personne, c'est la plus belle façon de se faire dévisager. Un mot à ma voisine de droite qui est journaliste en Allemagne et la glace est rompue. Elle me présente à son copain qui me présente à un autre journaliste du Brésil et, de bouche à oreille, on sait qui je suis et d'où je viens en quelques instants. De toutes façons, dès que le vin s'amène, le snobisme fond et le naturel refait surface, qu'on soit d'Angleterre, de Madrid... ou de Pointe-Calumet ! Le souper de 1982 était fastueux. Entrée de crevettes aux avocados, steak au poivre, desserts flambés, café fort, vin fou, vin sec... j'ai peu mangé pour mieux observer tout ce qui se passait autour de moi. Les vedettes sont multiples et je n'ai que l'embarras du choix. C'est l'endroit et le moment pour obtenir, à l'insu des publicistes, des entrevues derrière cloison, mais comme on dit : « il faut le faire » et ce n'est pas facile. Lina m'avait bien averti : « Je vous suis, mais c'est vous qui faites les approches, moi, j'en suis incapable ! » De là à dire que j'en étais plus capable, il y avait marge. Ce genre d'agression m'a toujours gêné, mais si je ne le faisais pas, d'autres allaient le faire et je me suis conditionné en me répétant : « Denis, le pire qu'on peut te dire, c'est « non » ! J'y suis donc allé avec beaucoup d'élégance, car je savais que ces entrevues de dix à douze minutes parmi une foule n'étaient pas faciles à réaliser. C'est ainsi que ce soir-là, j'ai pu m'entretenir assez longuement avec Barbara Bel Geddes, qui me parla de son rôle de « maman Ewing » dans « Dallas », de son mari, de ses maladies. Cette femme avait de la bonté jusqu'au fond des yeux et, en me serrant la main, elle m'avait dit et je m'en souviens : « Que Dieu vous garde, vous êtes un véritable gentilhomme ! » Lina a eu beaucoup de difficulté à prendre les photos. Comme elle ne mesure que 5 pieds et que les acteurs en mesurent environ 6, je suis donc de grandeur juste entre les deux. Debout, c'est donc vus de bas qu'elle nous prend, ce qui fait que l'acteur de 6 pieds a le front coupé quand ce n'est pas moi qu'elle décapite juste à la hauteur du menton pour le prendre lui, jusqu'au front. C'est une prise de photos « à trois étages »... ce qui n'est guère un avantage. Tout un tour de force à moins que la vedette, comme ce fut le cas avec Barbara Bel Geddes, soit de ma grandeur. Là, elle réussit au moins à nous sauver la tête! Comme j'avais franchi la première étape, je vis le très gentil Chris Atkins qui passait, encore tout bouclé comme dans son film et c'est avec amabilité qu'il accepta une entrevue à l'écart. J'eus bien du mal à la réaliser car ses «fans» criaient après lui derrière le cordon retenu par un agent de la sécurité. Il y avait même, parmi les convives, des femmes d'âge mur qui ne se gênaient pas pour nous déranger dans le seul but de lui dire: « Hi honey, I really enjoyed your last picture!»... ce qui voulait tout dire! J'ai réussi tant bien que mal à terminer mon entrevue et il s'est dit navré que je ne puisse contacter son publiciste. À ce moment, Chris Atkins était friand de publicité et ne voulait surtout pas que «Le Lagon Bleu» soit son premier et dernier film. Il a certes bien joué sa carte puisqu'il est encore là avec beaucoup de films à son crédit aujourd'hui. En voilà un qui n'a pas été qu'une étoile filante dans le milieu. À quel prix?... on ne le saura sûrement jamais puisqu'il est maintenant bien établi.

Je commençais à prendre goût à ces entrevues improvisées même si elles s'avéraient très stressantes. De Chris Atkins, j'entraîne Lina avec moi et j'aborde très poliment nulle autre que la très belle Morgan Fairchild, vedette de «Flamingo Road». J'avoue avoir craint d'essuyer un refus, mais lorsque je lui ai dit que j'étais du Canada, et plus précisément de Montréal, elle eut un large sourire et accepta de bon gré malgré les reproches de son publiciste qui me regardait... avec des yeux pas trop aimables. «Sex symbol» de l'heure, elle livrait une dure bataille à Loni Anderson pour l'obtention de «la couronne». Plus petite, plus mince, elle avait cependant un drôle de nez retroussé qu'elle aurait intérêt... à faire réparer. De très beaux yeux, les cheveux blonds et bouclés, elle portait une robe rouge semblable à la blanche que portait Marilyn Monroe dans «The Seven Year Itch», la fameuse robe qu'elle retint sur une bouche d'aération de métro à New York et qui devint un poster des plus célèbre. Très modeste dans son image de «vamp», Morgan Fairchild me parla avec son coeur de son enfance, de sa mère, de ses amours, et quand vint le temps des photos, elle mit son bras autour de mon cou en disant à son publiciste grognon: «This guy is wonderful!» J'ai adoré le compliment, mais à mon âge, ça ne m'a pas enflé la tête. J'en avais d'ailleurs trop besoin pour continuer mon boulot ce soir-là, d'autant plus que Scott Baio s'amenait de ce pas.

Très timide, plutôt distant avec les gens, le jeune «Chachi» de la série «Happy Days» se prêta de bonne grâce à mon entrevue d'autant plus qu'il avait vu Morgan Fairchild en ma compagnie juste avant. Je vous avoue qu'à ce rythme, j'en aurais fait toute la nuit, mais c'était quand même psychologiquement éreintant et j'avais hâte que «mon émission» se termine. J'étais certes intéressé par ce qui se passait sur scène, mais davantage par tous ceux et celles que je pouvais attirer en coulisse. Lina trouvait que j'avais beaucoup de cran... ce qui n'était pas le cas. Pour faire ce que je faisais à ce moment-là, il m'avait fallu prendre mon courage à deux mains et empailler ma fierté, car il n'y a rien de plus humiliant que de faire du journalisme à «tire la manche» de cette façon. Jamais je n'aurais pensé qu'un jour, je puisse être ainsi «un glouton des cassettes», mais pour les besoins de la cause, je pilais sur mon orgueil et j'y allais comme tous ceux qui étaient là et qui fouinaient de cette façon. C'était le «star market» et loin du genre d'entrevue qu'on réalise avec l'accord du publiciste, mais dans ce genre de soirée, le journalisme «à tout prendre» est autant de rigueur... que la cravate! Je sentais parfois le trac m'étrangler, ce qui ne m'arrive jamais dans une entrevue planifiée. Scott Baio me parla de tout, eut à quelques reprises des sourires gênés de petit garçon, surtout quand les filles lui criaient: «I love you, Scott!» Ce qui ne semblait pas déranger un Chris Atkins, intimidait grandement ce fils à papa qui était d'ailleurs avec lui, se voulant en plus d'être son père, son gérant. Je rencontrai aussi la jeune Danielle Brisebois qui ne parlait pas un traître mot de français et je pus causer quelques minutes avec Tom Selleck et lui serrer la main. Juste au moment où Lina s'apprêtait à prendre une photo de Tom et moi, une énorme dame passa devant l'objectif et tout ce qu'il me reste de la photo de Tom Selleck, c'est son épaule... et une grosse masse noire!

Ce soir-là, j'ai vu défiler devant moi autant d'étoiles qu'il y en avait dans le ciel. Très fatigué, j'ai regagné mon hôtel avec toutes ces cassettes en poche en disant innocemment à Lina et je vous le jure: «J'ai hâte de commencer à travailler».

Il fait très chaud et comme c'est dimanche, j'ai accepté l'invitation du célèbre photographe Gaby Desmarais à passer la journée chez lui. Monsieur Desmarais, qu'on appelait «Gaby» tout court à l'époque de sa gloire, a été au Canada le maître portraitiste incontesté du noir et blanc. Les plus de 35 ans se rappelleront sûrement de son émission de télévision «Profil et Caractère». Gaby a pris en photo, dès le départ, tous les grands artistes québécois tels Alys Robi, Jean Duceppe, Murielle Millard et nombre d'autres pour devenir le photographe attitré du maire Jean Drapeau en plus de plusieurs politiciens et hommes d'affaires très en vue. D'un portrait à l'autre, sa renommée s'étendit au-delà des frontières et Gaby devint international au point que des vedettes de Hollywood, telle Jayne Mansfield, se dérangeaient pour venir poser dans les jardins de sa luxueuse résidence à Ahuntsic.

Gaby a photographié les plus grandes «stars» pour ensuite avoir le privilège d'atteindre les grands de tous les pays. C'est ainsi que le prince Rainier et Grace de Monaco lui confièrent leur tête tout comme le shah d'Iran, Jean Cocteau, Nasser, et plusieurs hauts dignitaires. C'est lors d'une entrevue que j'avais faite avec lui à Montréal que nous sommes devenus des amis. Retiré à 55 ans de ce métier qui l'avait rendu passablement à l'aise, Gaby Desmarais vivait maintenant à Beverly Hills avec sa charmante épouse Lorraine. C'est d'ailleurs là qu'il eût l'honneur de prendre la dernière photo officielle de Rita Hayworth alors qu'elle avait 62 ans et qu'elle n'avait pas encore été internée suite à la maladie d'Alzheimer. Il avait aussi pris un saisissant portrait de Fred Astaire dont il me fit cadeau d'une copie. C'est donc ce cher Gaby qui m'invitait à visiter sa maison de Beverly Hills, une invitation que je ne pouvais refuser. Très bien située sur la colline, à quelques pas de celle de Nancy Sinatra, la résidence de Gaby Desmarais m'emballa autant que celle de Robert Stack, sinon plus. Dans son immense jardin, il y avait des statues de marbre et sa piscine en était aussi entourée. Un grand escalier comme on en voit dans les films nous menait au second étage et les lustres de cristal étaient à l'honneur dans plusieurs grands salons de la vaste maison. Lorraine était ravie de me voir et son repas à l'italienne... exquis. Nous avons parlé vedettes et j'en profitai pour faire avec Gaby une entrevue sur sa carrière tout en prenant des photos de sa splendide demeure que j'ai ensuite publiées dans Le Lundi. Très en vue dans le monde entier, Gaby avait aussi ses appartements à Monaco et c'est là qu'il partit s'installer un peu plus tard après avoir vendu sa maison de Hollywood pour quelques millions de dollars. Ce fut une belle journée et juste avant de partir, Gaby me remit le numéro de téléphone de Madame Claire Kirkland-Casgrain, une grande amie qu'il voulait que je salue de sa part, ce que je n'omis pas de faire dès mon retour.

Notre célèbre «Maman Simard» était aussi à Hollywood avec René qui y séjournait pour la seconde année de suite en vertu de ses cours de danse. Claudine Bachand était aussi de la partie et en ce lundi, ils m'avisèrent qu'ils partaient pour Palm Springs y passer quelques jours et qu'on se reverrait à leur retour.

À Hollywood, il n'y a pas que des Américains. Des acteurs venus de partout y tentent leur chance et c'est ainsi que j'appris que Sylvie Vartan y avait résidence et que Gérard Ismaël (Le dernier amant romantique) y avait aussi élu domicile avec son épouse Julie dans le but de percer aux U.S.A. Comme je l'avais rencontré à Montréal lors de la sortie de son fameux film, je l'appelai et c'est avec joie qu'il accepta l'entrevue que je lui proposai. Il était parmi les rares à ne pas avoir de publiciste, mais fallait-il encore être capable de le payer. Je rencontrai

Gérard et Julie dans un petit appartement loué à même une villa sur la colline. Ils ne vivaient que dans une seule grande pièce et déjà, le loyer était très élevé. Gérard me parla de son film qui avait obtenu un certain succès aux États-Unis, mais pas assez pour le propulser parmi les célébrités. Il se devait donc de passer des auditions comme tous les débutants afin de décrocher quelques petits rôles et il avait même joué gratuitement aux côtés de Jon Voight dans une pièce de John Casse-vettes et Gena Rowlands dans le seul but de se faire voir quelque part. Selon lui, Jon Voight était un grand ami mais «le dernier amant romantique» devait apprendre plus tard que les «potes» sont plus nombreux à Paris qu'à Hollywood. Je l'ai même appris à mes dépens et ce, face à lui quelques années plus tard et je vous en reparlerai dans un prochain tournant. Sa femme, Julie, qui était coiffeuse, avait réussi à se dénicher un emploi prestigieux chez l'un des «maîtres» de Beverly Hills. Somme toute, au moment de notre rencontre, elle gagnait mieux sa vie que son illustre mari et c'est elle qui subvenait aux besoins de «leur survie» dans la capitale du cinéma. Nanti d'un accent français très prononcé, Gérard avait de plus une tête trop européenne, ce qui limitait de beaucoup ses chances.

De là, ce fut l'odieux manège des coups de téléphone placés aux agents et publicistes. Le pire, c'est que la plupart des publicistes que je connaissais n'avaient plus les contrats des artistes qu'ils chevauchaient. Il était constant pour les artistes de changer de publiciste, ce qui doublait leurs chances d'avoir de «l'exposure» un peu partout et d'atteindre d'autres publics. Ici, au Québec, on entend sans cesse les vedettes nous dire: «Je ne veux pas de cette entrevue, j'ai eu trop «d'exposure» dernièrement». Ce n'est pas à Hollywood qu'on nous dirait cela. Plus ils en ont, plus ils en veulent et c'est en étant en première page d'une revue ou d'un journal chaque semaine qu'une vedette peut prouver à quel point elle est «hot» et le pesant d'or qu'elle vaut. Le jour où les artistes de chez nous auront compris cela... ils auront fait un grand pas!

Rien n'a marché ce jour-là et je suis en «stand by» sur mon balcon en regardant le tatoueur à l'oeuvre de l'autre côté de la rue. Tiens! j'en profite pour visionner le dernier film de John Travolta «Blow Out» sur le réseau payant et j'avoue que ce film m'a plu. J'ai établi plusieurs contacts, j'ai laissé des messages partout et comme à chaque fois, je me dis: «À la grâce de Dieu, Denis!»

Un beau 80 degrés, une journée ensoleillée et la publiciste Charlotte m'appelle pour me dire: «Si vous le désirez, je vous organise une entrevue avec Erik Estrada vers midi. Vous n'avez qu'à vous rendre sur les lieux de tournage, etc.» Erik Estrada était à ce moment au Québec «la grosse vedette» avec son rôle de Ponch dans l'émission «Chip's».

J'avais tenté à trois reprises de le rencontrer mais sans succès, et voilà qu'enfin je l'avais. Douce vertu que la patience. Lina s'amène et nous partons en trombe vers le centre-ville de Los Angeles où une scène était tournée juste en-dessous d'un viaduc. C'était assez humide et l'odeur du coin n'était pas des plus agréables. Il y avait un monde fou en plus des curieux qui essayaient de franchir la barrière pourtant bien gardée. De loin, je vis Estrada et Wilcox tous deux dans leur uniforme de policier en train de livrer une rude bataille à des voyous sous le fameux petit pont. J'entendais des «cut» et des «action» et on reprenait certaines scènes jusqu'à quatre fois. J'étais vivement impressionné par le tournage et surtout certains trucages pour faire encore plus véridique. Il y eut une pause de trente minutes et c'est là que je devais avoir Erik Estrada juste à moi. Il s'approcha de nous, sortit son plus beau sourire de ses 76 dents et demanda à un jeune messager d'aller nous chercher du café. Très «macho», il me parla des femmes avec une certaine désinvolture avouant que le jour où il trouverait «a real chick», pour employer son expression exacte, il lui ferait de quatre à cinq enfants et elle resterait à la maison à les élever tout comme sa mère l'avait fait. Par contre, il était très gentil et avait beaucoup de respect pour les journalistes. Il fit tout en son pouvoir pour que mon entrevue ne soit pas interrompue, ce qui était généreux de sa part. Il répondait à mes questions, parfois avec des jurons et des «f...» et quand son langage se voulait trop grossier, je faisais semblant de ne pas comprendre et je demandais à Lina de me le traduire... ce qui l'embarrassa et lui fit prendre conscience que ce n'est pas parce qu'on est sous un viaduc qu'il faut utiliser un vocabulaire de truand. Il se prêta gentiment aux photos et me demanda même de prendre place sur sa fameuse motocyclette pour une photo... ce qui fit bien des jaloux quand l'article parut dans Le Lundi. Je voyais Larry Wilcox passer et j'aurais aimé faire d'une pierre deux coups, mais comme je vous l'ai déjà dit, ça ne se faisait pas. De toutes façons, j'allais finir par rencontrer Wilcox plus tard. Erik Estrada demanda à sa publiciste de nous emmener visiter sa maison pour que je comprenne mieux sa façon de vivre mais en cours de route, elle prétexta un autre rendez-vous et ce n'est pas Lina et moi qui s'en plaignirent. Entrevue terminée, photos prises, la maison de Erik Estrada sans Estrada à l'intérieur... ça ne m'intéressait tout simplement pas!

Douce quiétude de mon hôtel et je descends prendre un verre au bar, histoire de me détendre un peu. Je n'ai pas fait un pas qu'un homme ivre commence à me jaser tout en titubant. Comme tant d'autres fois, je lui réponds en français, en ajoutant, comme si j'étais un Chinois, «no english!». Et le voilà qui s'en va en sacrant contre moi en écoeurer un autre. Le barman, qui me connaissait, riait à chaque fois de mon brillant stratagème pour éloigner les intrus... tout comme les prostituées qui sont nombreuses dans les bars des hôtels. Je ne sais qui leur passe le mot, mais je pense qu'elles sont de connivence avec le type de la réception pour être si bien renseignées sur la clientèle. Un après-midi, juste après une entrevue, j'étais dans ma chambre depuis cinq minutes lorsqu'on frappa à ma porte. J'allai ouvrir et me trouvai face à face avec une petite brunette d'environ 22 ans, grimée jusqu'aux oreilles. Elle fait mine d'être étonnée, regarde mon numéro de porte et s'excuse en disant, avec son plus invitant sourire: «Je croyais que c'était le 316. Comme je suis distraite!» Je n'aurais eu qu'à lui dire: «Pourquoi n'entrez-vous pas prendre un verre!» pour qu'elle soit à moi pour pas cher. Comment avait-elle pu savoir que j'étais là à cette heure de l'après-midi et que j'étais seul, sans épouse, sans personne avec moi. Qui d'autre que le gars de la réception, qui m'avait vu monter, aurait pu la renseigner! Un «business» comme un autre!!

J'avais téléphoné deux jours plus tôt au publiciste de Melissa Sue Anderson afin d'obtenir une entrevue avec elle, ce qu'il promit de m'arranger dans un bref délai. Il en profite pour ajouter: «Que diriez-vous de faire une entrevue avec Persis Khambatta?» Persis était celle qui jouait le rôle de la femme chauve dans Star Trek. Je ne pouvais refuser d'autant plus que la journée était ouverte et que je n'avais pas l'intention de la passer confiné dans cette maudite chambre d'hôtel. Il me rappela dix minutes plus tard et m'annonça que je pouvais la rencontrer chez elle vers 3 heures, à Bel Air, mais qu'il me faudrait payer son coiffeur et son maquilleur. Je n'y avais pas pensé mais la belle Persis n'était plus chauve et avait retrouvé sa crinière d'ébène. Le pire, c'est que le coiffeur me demandait $200. et le maquilleur $100. J'ai eu envie d'envoyer le publiciste au diable et de lui dire de se foutre sa Miss Khambatta là où vous pensez. Il fallait bien être «starlette» pour être ainsi exigeante. Ce qui m'empêchait de me payer ce petit plaisir, c'était Melissa Sue Anderson. Si j'agissais de la sorte, je perdais définitivement Melissa, qui était très importante pour moi à cause de La Petite Maison. Elles avaient toutes deux le même publiciste et je n'ai pas eu le choix que de me soumettre. J'ai quand même contacté le coiffeur et le maquilleur et je pus réussir à leur faire descendre leur prix. Je les ai donc eus tous les deux pour $200. qu'ils ont accepté de se partager, ce qui était encore bien payé pour le résultat que j'ai pu constater. Très jolie, Persis Khambatta avait une coiffure très simple et droite avec une séparation sur le côté. Quelque chose du genre que toute femme peut se faire à la maison. De plus, elle s'était parée d'un voile retenu au front par un bandeau, ce qui faisait qu'on ne voyait plus sa coiffure. Lina était furieuse une fois de plus parce qu'il nous a fallu attendre au moins une heure avant que «madame» ne soit prête. La maison était immense et on pouvait compter au moins 27 pièces. Je me demandais vraiment comment Persis avait pu se payer une tel palace. Sûrement un héritage ou un père immensément riche, me disais-je. Il y avait un portier, un majordome, un barman ainsi que des serviteurs et des bonnes en tabliers qui circulaient. Je n'en revenais pas. Alors que j'attendais qu'elle arrive, je me suis mis à causer avec le barman et lui demandai si Miss Khambatta avait cette maison depuis longtemps. Il me répondit: « Mais monsieur, cette maison n'est pas à elle, elle appartient à ma patronne, Mrs. Simpson, l'épouse du plus riche chirurgien de Los Angeles! D'ailleurs, vous allez rencontrer ma patronne tout à l'heure ». Au même moment, la fameuse Mrs. Simpson s'amena dans une somptueuse robe longue en plein après-midi. Parée de diamants, maquillée à outrance et à l'aube de la soixantaine, la femme du docteur n'avait rien d'autre à faire que de se promener... un verre de scotch à la main. Quelque peu pompette, elle me fit faire le tour du propriétaire et m'amena jusqu'aux cuisines qui valaient avec ses fours et son personnel, celles des plus grands restaurants. Très seule, passionnée par les artistes, elle donnait chez elle des réceptions spectaculaires à tous les quinze jours et en profita pour m'inviter à la prochaine, me disant que Frank Sinatra et Burt Lancaster seraient là ainsi que sa meilleure amie, Joan Fontaine. Dommage, il me fallait partir avant, car autrement, j'aurais sûrement accepté d'être de cette soirée plus que mondaine. Elle ajouta qu'il lui arrivait à l'occasion de prêter sa maison à des actrices pour les besoins de la cause et je vis la publiciste de Persis rougir jusqu'aux oreilles. Donc, mon entrevue avec Persis Khambatta chez elle n'était pas « chez elle » et quand j'ai écrit mon article, j'ai menti... aussi pieusement qu'elle! Persis s'amena enfin pour l'entrevue, me parla de l'Inde, son pays natal, des femmes voilées de là-bas, de son rôle à la télévision, de ses multiples projets et de ses émotions les plus intenses. Une entrevue superbe et très bien menée de part et d'autre. Le pire, c'est que de retour à Montréal, en réécoutant mes cassettes, je m'aperçus avec effarement que celle de Persis Khambatta était vierge! J'ai cru devenir fou. Je ne sais pas comment j'ai pu commettre une telle erreur technique mais croyez-le ou non, c'est de mémoire que j'ai rédigé mon texte. De cette belle entrevue je n'avais rien oublié... ou presque.

Il ne fait pas beau en ce vendredi et Mickey m'appelle pour me dire que je peux rencontrer Dean Butler à son bureau, en début d'après-midi. Dean, qui jouait le rôle d'Almanzo, le mari de Laura dans « La Petite Maison », était très populaire dans l'émission et très adulé des filles. Grand, les cheveux blonds tirant sur le roux et pas à l'aise avec les journalistes, Dean Butler me donna des réponses gentilles, rien de plus. Il en était quand même à ses débuts et misait beaucoup sur Michael Landon qu'il ne cessait d'encenser pour se tailler une place au soleil.

Garçon charmant, style très américain, je passai une heure en sa compagnie et il fut ravi du Lundi que je lui offris avec Melissa Gilbert en première page. On fit également une première page avec Dean Butler, mais ce numéro ne battit pas des records de ventes. Dans l'émission, les deux Melissa l'emportaient sur tous les autres. D'ailleurs, à bien y penser, Dean Butler a disparu de la circulation depuis la fin de La Petite Maison. Je me demandais ce qu'il devenait et j'ai appris dernièrement qu'il avait enfin trouvé un rôle dans la série «The New Gidget» qui marche plus ou moins aux États-Unis. Quant à Persis Khambatta, depuis son émission, je n'ai vu qu'un film avec elle intitulé «Megaforce» et qui n'a pas marché. Est-elle encore vedette de cinéma? Madame Simpson n'en sait peut-être rien!

De retour à l'hôtel, un message de René Simard m'attendait. Il m'invitait à souper avec sa mère et Claudine au Butterfield et c'est de bon coeur que j'acceptai. Comme vous voyez, malgré l'incident du voyage précédent, notre amitié n'en était pas brisée. Il est minuit, j'ai bien mangé et on me dépose à mon hôtel. Juste avant de monter me coucher, je me rends au bar pour un dernier digestif et une blonde fardée dans la cinquantaine avancée commence à me parler. Elle s'appelle Lupita Lopez (quel nom à la Cugat!) et m'avoue être chanteuse et danseuse dans les plus chics cabarets à travers le monde entier. J'écoute sans l'interrompre ce tollé de mensonges et je pars me coucher en me disant: «Sacrée Californie, va!»

Tiens! on dirait que «La Petite Maison dans la Prairie» m'ouvre de plus en plus sa porte. Après Dean Butler, je me dirige maintenant avec Lina chez Karen Grassle, la charmante «maman Ingalls» de l'émission. J'avais bien hâte de la rencontrer d'autant plus que je l'imaginais exactement comme elle était dans la peau de son personnage. Ce n'était pas tout à fait ce qui m'attendait. Sa maison de Hollywood Hills est coquette, mais pas du genre à se jeter par terre. C'est le style villa qu'on trouve un peu partout et qui se veut le «home» moyen de la population en voie de réussir dans la vie. Heureusement que le soleil brillait cette journée-là. La maison de Karen Grassle était à vendre parce qu'elle se remariait et qu'elle voulait vivre sa vie ailleurs cette fois. Madame Ingalls nous reçut fort poliment et demanda à sa secrétaire de nous servir le café. J'avoue que j'aurais préféré un jus d'orange, mais je n'ai pas eu le choix. Très particulière de sa personne, Karen se peigna longuement et refit le contour de ses lèvres à trois reprises. Elle évitait adroitement certaines questions ayant trait à sa vie privée et faisait tout en son pouvoir pour ne parler que de son rôle. Elle souriait, mais je ne la sentais pas réceptive et pas chaleureuse pour deux sous. Elle n'avait pas dans les yeux cette bonté qu'elle dégageait au petit écran, ce qui me porta à croire qu'elle jouait un excellent rôle de composition à la télévision. La longueur d'ondes n'y était pas et voilà qu'elle se mit en frais de descendre l'émission comme du poisson pourri. Elle trouvait son rôle insipide et alla jusqu'à dire qu'elle avait perdu son temps pendant huit ans dans la peau de cette bonne femme «Ingalls». Je fus tellement déçu de son attitude que je commençai à la trouver pimbêche. Elle rêvait de jouer «Blanche Dubois» dans «Un Tramway Nommé Désir» et parlait de théâtre classique avec des airs de grande dame. C'était loin d'être la brave «maman Ingalls» de l'émission et c'était la première fois que j'étais face à un si flagrant contraste. Elle accepta de poser pour Lina, mais avec restriction sur certains angles et la photo qu'elle prit avec moi n'était pas plus sincère que tout ce qu'elle m'avait dit depuis le début de notre entretien. Elle venait d'ailleurs de donner sa démission et il y avait dans ses propos plus de hargne que de professionnalisme. Je l'ai quittée aimablement, heureux d'avoir pu la rencontrer, mais Karen Grassle m'a laissé si indifférent que dans son cas, je n'ai jamais tenté de récidiver. Qu'a-t-elle fait depuis la fin de La Petite Maison? Rien d'autre que de se remarier avec un homme qui l'a ruinée et dont elle vient de divorcer. Côté carrière, je pense que ses ambitions dépassaient de beaucoup ses capacités. Je ne lui en veux pas car elle a été tout de même assez plaisante avec moi mais j'ai noté, avec regret pour elle, qu'elle n'avait pas encore réussi à jouer «Blanche Dubois»... dans «Un Tramway Nommé Désir!»

10 février 1982 et Alison Arngrim, qui avait appris que j'étais une fois de plus à Hollywood, accepta de me rencontrer avec Steve Tracy qui se voulait son mari dans «La Petite Maison» et son amoureux dans la vie. Au moment où j'écris ces lignes, Steve Tracy est mort du sida et je déplorerai cette fin abrupte longtemps, car Steve était un être merveilleux, un gars rempli d'humour et tout droit sorti de l'école des bonnes manières. Je n'ai pas à juger de son homosexualité, mais au moment où je l'ai rencontré, il faisait la manchette de tous les journaux avec Alison qu'il comptait épouser. Stunt publicitaire... sans doute, mais bien joué puisque j'y ai cru du début à la fin de notre entrevue. Ils arrivèrent tous ensemble, Alison, son père, son publiciste et Steve Tracy... chauve comme une boule de billard! Steve tournait à ce moment dans un film et incarnait un adepte du Krishna, ce qui expliquait la tonte de ses cheveux bouclés. J'ai eu beaucoup de plaisir lors de cet entretien et contrairement à Karen Grassle, ces deux-là avaient gardé un excellent souvenir de «La Petite Maison». Ils voulaient s'unir dans la vie comme au petit écran et je n'ai jamais su ce qui avait causé leur rupture. Avec le recul, je comprends fort bien ce qui a dû se passer, mais comme je l'ai toujours dit, la base première de la psychologie est de comprendre et non de juger. Je persiste encore à dire que j'ai eu le coeur brisé quand j'ai appris qu'un si gentil garçon avait été emporté à

33 ans par cette maladie qui ne pardonne pas. Steve Tracy n'aura pas eu une longue carrière, lui qui voulait jouer jusqu'à ses cheveux blancs. Il avait plaisanté beaucoup sur son «look» et Alison s'amusait ferme avec lui. Je suis sûr qu'elle le pleure encore, car Steve Tracy était le genre de gars, que même avec le temps, on n'oublie pas. Après cette longue entrevue et une poignée de main à chacun plus une bise à Alison, je me suis rendu à l'appartement de René Simard où sa chère maman nous avait préparé un souper québécois. Nous avons ensuite passé la soirée à parler, devinez de quoi?... De Hollywood!

Enfin, je l'ai! Le publiciste me téléphone et me dit que je peux rencontrer Melissa Sue Anderson à son bureau l'après-midi même. C'était vraiment un voyage «Petite Maison» cette fois, même si ça n'avait pas été planifié de cette façon. J'appelle Lina qui me ramasse en vitesse dans sa vieille Camaro bleue et nous sommes déjà en route pour El Comino Drive. Melissa Sue arriva en même temps que nous et sans le savoir encore, ça allait être la guerre entre Lina et elle. Je n'ai jamais vu un photographe détester une vedette comme Lina a pu le faire dans le cas de Melissa Sue Anderson. Loin d'être la douce «Marie Ingalls» de l'émission, elle arrivait de chez elle où elle était en train de peinturer des meubles et n'avait même pas pris la peine de se changer. Son t-shirt, tout comme son «jean», était taché et de plus, Melissa portait une veste de bûcheron. Je l'ai dit lors de mon entrevue et je le répète... il ne lui manquait que son escabeau! Très «garçon manqué», elle répondit à mes questions avec politesse et parfois avec un petit sourire. Je fis de mon mieux pour la mettre à l'aise, mais Melissa, au grand désespoir de son publiciste, fuyait la publicité comme la peste! Pour ma part, mon travail était terminé, mais la pauvre Lina n'était pas sortie du bois avec elle. Quand vint le temps des photos, Melissa ne regardait jamais l'objectif et levait les yeux ailleurs juste au moment du déclic. Je voyais Lina qui s'impatientait et je commençais à redouter sa colère. Lina ne put jamais obtenir un sourire de Melissa et s'en trouva fort insultée. Moi, tout ce que je voulais, c'était une photo avec elle pour justifier notre rencontre car je savais que les agences avaient plusieurs de ses photos. Lina persista et Melissa la déjoua de plus en plus, telle une petite garce en regardant partout, sauf la caméra. Lina abdiqua et lui dit froidement: «Bon, c'est suffisant comme ça!» Melissa me serra la main, ne regarda même pas Lina et partit... repeindre son apparte-vent. Sur le chemin du retour, Lina vociférait: «Non, mais vous avez vu cette petite peste? Pour qui se prend-elle? Vous l'avez vue détourner la tête cette petite idiote? Vous avez vu...» et ça n'arrêta pas tout au long du trajet. Lina avait raison et je la laissai se calmer graduellement. Melissa Sue Anderson était loin d'avoir la gentillesse de Melissa Gilbert. Plutôt petite, grassette, et surtout pas heureuse dans sa peau, elle n'avait rien pour faire tomber les garçons à ses pieds, pas plus que les producteurs. Elle est d'ailleurs la seule à ne pas avoir accepté l'invitation de Alison lors de la réunion des acteurs de La Petite Maison juste avant le décès de Steve Tracy. Peu sociable, désagréable avec tout le monde, elle tourna par la suite quelques films pour la télévision, participa à certaines émissions, mais la « Marie Ingalls » de jadis ne sera jamais une grande vedette. Lors de mon plus récent voyage, alors que je m'informais d'elle, plusieurs personnes à Hollywood ne se rappelaient même pas de son nom.

Je savais que Daniel Pilon était à Hollywood et qu'il y faisait de plus en plus sa marque. Aussi étrange que cela puisse paraître, je ne le connaissais pas, n'ayant jamais eu le plaisir de l'interviewer à Montréal. Il me rendit mon appel et accepta de venir me rejoindre à ma chambre d'hôtel le lendemain matin. J'avais prévenu Lina, l'avisant aussi qui il était car elle ne le connaissait pas. Il arriva avec sa petite amie, une ravissante Québécoise prénommée Doris et dont il était follement amoureux. Pourtant, c'est une autre qu'il allait épouser un an plus tard. Le coeur a ses raisons... Toujours est-il que Daniel Pilon se montra fort affable et regardant quelques Lundi sur mon bureau, il vit Ginette Ravel en première page et s'informa d'elle car il aimait sa voix. Je lui donnai le magazine et il eut réponse à toutes mes questions. Daniel travaillait énormément et faisait tout en sorte pour que sa carrière prenne un élan définitif. Il avait tourné dans plusieurs films, mais des rôles de second plan seulement. Il n'avait pas réussi à faire au masculin ce que Geneviève Bujold avait accompli au féminin. C'est donc vers la télévision qu'il s'orientait maintenant et il me parla d'une émission intitulée « Massaretti and the Brain » dans laquelle il aurait le rôle titre. Le « cerveau », c'était un petit garçon et tout se voulait à intrigues policières. « Massaretti » allait-il devenir un second « James Bond »? Daniel l'espérait de tout coeur et il avait déjà entrepris le tournage du film pilote qui déciderait de tout. J'ai vu ce film à la télévision et j'ai immédiatement réalisé que ça ne deviendrait pas une série. Il n'y avait pas assez de complicité entre l'homme et l'enfant selon moi. Les critiques furent négatives sans aucun doute et la réponse du public également, puisque la série mourut avant même d'être née. Je sais que Daniel Pilon va régulièrement à Hollywood et qu'il a même son agent. Il revient au Québec parfois pour un rôle ou un commercial, mais en pleine foi de sa quarantaine, c'est aux U.S.A. que cet acteur veut vivre et travailler. L'entrevue qu'il m'accorda fut très appréciée et par un heureux hasard, six mois plus tard, je rencontrais ses parents alors que j'étais en vacances à Miami. On a parlé de lui en ajoutant : « ah! que le monde est petit ! »

Une entrevue n'attendait pas l'autre et après avoir avalé une bouchée, j'étais en route avec Lina pour Sherman Oakes où j'avais rendez-vous avec Dick Van Patten, le célèbre papa de « Huit ça suffit ». Quelle belle maison familiale que la sienne et quel quartier résidentiel où la paix n'a d'égale que les bonnes gens qu'on y croise. Dick me reçut en compagnie de sa charmante épouse qui nous avait préparé des gâteaux et du café. Père de famille jusqu'au fond du coeur, il me parlait sans cesse de ses enfants et surtout de ses trois fils qui étaient acteurs tout comme lui. Vince, le plus jeune, avait même tourné au Québec avec Claire Pimparé dans le film « Gabrielle » et papa Dick se rappelait fort bien de Claire, cette jolie brunette à qui il envoyait ses meilleurs voeux. Dick et son épouse me firent visiter la maison ainsi que le jardin et la piscine, mais ce qu'ils voulaient surtout que je voie, c'était son court de tennis. Leur fils Vince hésitait encore entre la carrière de « tennisman » et celle d'acteur. Il me parla de passes, de termes de tennis... et moi qui n'y connaissais rien, je faisais semblant d'être intéressé. Dick Van Patten avait tout pour être le père de « huit enfants » ça suffit, même s'il ne savait pas ce que voulait dire être père d'une fille puisqu'il n'avait que des fils. Il l'a vite appris, m'a-t-il dit en riant, mais il n'a jamais voulu se prononcer quand je lui ai demandé si une fille ne l'aurait pas comblé. Dans cette maison, je me sentais comme si j'avais été chez une bonne voisine. Tout était si simple et si charmant qu'on n'avait plus envie de partir. Le seul accroc, c'est que Dick Van Patten était lui aussi un peu dur d'oreille et qu'il me fallait parler lentement et assez fort pour qu'il me suive assidûment. Je n'ai pas rencontré ses fils qui étaient absents ce jour-là, mais j'ai gardé un très bon souvenir de cette maison familiale où l'odeur était en sorte celle de chez nous. Chez les Van Patten, et j'en fais mon signe de croix, tout est vrai... et ce n'est pas du cinéma !

Quelle journée épouvantable et nerveuse. À peine sortis de chez les Van Patten, Lina et moi étions en route pour atteindre la maison de Bo Hopkins à North Hollywood. Son publiciste m'avait rejoint chez Van Patten et « Matthew », de « Dynasty », m'attendait dans trente minutes. Bo Hopkins avait joué dans les débuts de « Dynasty ». On l'avait lié à « Kristle » pour ensuite le faire mourir dans l'émission, vous vous rappelez? Drôle de maison que la sienne... vue de l'extérieur. Elle n'était pas entretenue et la pelouse, tout comme la haie, avait besoin d'une coupe de cheveux. À l'intérieur, c'était encore plus bizarre et il y avait, en plus d'une salle de cinéma, une arcade assez imposante avec toutes les machines à boules et jeux électroniques possible. Lina ne m'avait pas parlé de l'accent « texan » de Bo Hopkins et je vous avoue en avoir eu des sueurs... moi qui étais déjà très fatigué par les deux entrevues précédentes. Au départ, Bo Hopkins avait une jambe dans le plâtre, ce qui le confinait à un fauteuil dans lequel il prenait bière par-dessus bière. De plus, il était habillé comme «la chienne à Jacques», selon notre expression, et ne s'était même pas rasé même s'il savait qu'une photographe serait avec moi. Le pire, c'est que je ne comprenais rien de son argot et encore moins avec ce terrible accent propre aux éleveurs de chevaux. Pour mieux vous le décrire, Bo Hopkins parle comme quelqu'un qui aurait une patate chaude dans la bouche, vous voyez ce que je veux dire? La première chose que j'ai pu comprendre, c'est: «You wannnnnnn... beer?» Comme il en avait plusieurs à ses côtés, j'en déduit qu'il m'offrait une bière que j'acceptai de bon coeur pour me détendre un peu. De là, j'ai réalisé mon entrevue et tout s'enregistrait sur ma machine sans que je ne comprenne rien ou presque. Je suis certain de lui avoir dit «oh! yes» quand j'aurais dû le plaindre et vice versa et je pense qu'il sentait que je ne le suivais pas. De plus, nous n'étions pas seuls car, juste en face de nous, sur un divan, il y avait deux filles et un garçon, tous trois dans la vingtaine, qui assistaient sans ne rien dire à notre entrevue. Ce qui n'était pas pour me mettre plus à l'aise... sûrement! Je finis par m'informer de tout ce beau monde et j'appris que la petite brune, c'était sa fille de 21 ans et que le garçon était le copain de sa fille. L'autre, la jolie blonde de 20 ans, c'était la petite amie de Bo Hopkins! Imaginez! Ce monsieur vivait avec une fille plus jeune que la sienne et tout ça, sous le même toit. Décidément, j'aurai tout vu... me suis-je dit. Le plus cocasse était que la fille et la blonde du père étaient très amies et plaisantaient ensemble comme deux couventines. Bo Hopkins, en plein milieu de sa quarantaine, avait de ces yeux gris à déshabiller toute fille entre 18 et 25 ans. Ça, je l'avais vite compris. Fait inusité, à notre arrivée, une dame d'environ 45 ans déambulait dans la maison et j'étais sûr que c'était son épouse. J'eus un sourire quand je me rendis compte que c'était sa domestique. J'imagine la tête de l'acteur si j'avais dit à cette personne: «Vous êtes sûrement madame Hopkins?» C'eut été la gaffe de ma vie, mais peut-être «la prise de conscience» nécessaire pour lui. Bo Hopkins a été affable, pas plus. C'est un être désabusé qui croit davantage en son talent que les scripteurs peuvent le faire. Sans travail assuré, il a bien sûr des petites émissions par ci par là, mais je pense que son «insuccès» est dû à ce manque d'entregent évident chez lui. Il n'a pas ce qu'on appelle «une tête sympathique» et doit se rendre allergique à certains producteurs. Tout ce dont je me souviens de cette fameuse entrevue, c'est qu'il m'a fallu deux jours pour déchiffrer, avec l'aide de ma fille, la fameuse cassette. Un peu plus... et j'aurais eu besoin d'un interprète!

Quelle journée et comme j'avais besoin de me détendre! Heureusement pour moi, Gaby Desmarais et son épouse Lorraine m'avaient invité à souper dans un chic petit restaurant français de Beverly Hills, «La Maison Gérard». Je me rappelle avoir dégusté un foie de veau incomparable arrosé de quelques verres de Chablis.

J'en suis à la dernière journée de ce voyage et j'en profite pour aller acheter quelques bijoux pour mon épouse et ma fille, ainsi qu'une montre pour mon fils. En passant, je décide de déjeuner au Schwab's Drug Store où l'on avait supposément découvert Lana Turner, ce qui s'est avéré faux par la suite. Depuis cette rumeur, Schwab a été le rendez-vous de toutes les starlettes et une sorte de petit monument à visiter. J'étais assis depuis quelques minutes quand je remarquai, à une table tout près, un homme dont la tête me revenait. Je venais de reconnaître Anthony Perkins qui déjeunait seul tout en lisant son journal du matin. Nos regards se croisèrent et j'ai failli me lever pour tenter d'obtenir une entrevue, mais je me suis dit : «Denis, c'est assez!» Je partais le lendemain de toutes façons et en pleine pharmacie, comme ça? Non, ça ne se faisait pas. D'ailleurs, à ce moment, Tony Perkins était dans l'ombre et personne ne savait qu'il allait revenir dans deux autres «Psycho» au cinéma. On reprend vite sa place quand on a déjà un nom établi avec Hitchcock, mais ce n'était pas encore le cas pour lui. Quand j'ai vu ses films à Montréal, je me suis écrié : «Et dire qu'il était à deux pieds de moi!» J'ai dès lors regretté de ne pas l'avoir dérangé, mais je me suis promis qu'un jour on se rencontrerait lui et moi. Et comme je suis fataliste, «ce qui devait arriver, arriva» cinq ans plus tard, mais je vous en reparlerai!

Pour terminer la soirée en beauté, René, Claudine et Maman Simard m'ont invité «Chez Emilio», l'un des meilleurs restaurants italiens de Los Angeles. Vous savez, le genre de restaurant où l'on prend cinq livres dans un seul repas? Ce fut à peu près ça, n'est-ce pas Maman Simard? Vous n'étiez pas membre des «Weight Watchers» ce soir-là, hein?

Le lendemain, 14 février, jour de la Saint-Valentin, je reprenais mon avion en compagnie de Maman Simard qui avait décidé de revenir en même temps que moi pour ne pas avoir à voyager seule. Voyage assez turbulent (j'en suais et elle en riait) et enfin sur le sol québécois. Ma fille Sylvie m'attendait avec une amie et du «clan Simard», il y avait Régis, Jean-Roger, Nathalie... et même son petit Chibouki! Nous sommes tous allés prendre un verre au bar de l'aéroport en guise de bienvenue et ensuite, ce fut le retour au bercail, la paix, la sérénité. Je trouvais même très beau ce tapis blanc de neige sur les trottoirs et ne me plaignais pas du froid. Parfois, l'hiver a de ces charmes qu'on ne devine pas avant d'en être séparé. C'est un peu comme l'amour... tiens!

DES RENCONTRES PARMI
LES TEMPÊTES

Le 27 janvier 1983 et en ce jeudi, je foule le sol de Hollywood pour la quatrième fois. C'est l'année des tempêtes de pluie, de vent, et Malibu Beach a été dévastée par des tornades et des vagues de la hauteur des villas. Tout allait mal en Californie et j'eus l'impression que ce voyage n'allait pas être aussi facile et aussi agréable que les autres. On ne parlait que des fameuses tempêtes et tout ce qui devait se tourner à l'extérieur «on location» comme on dit, avait été annulé. Imaginez l'humeur des producteurs ainsi que des acteurs. Un gars qui arrive pour faire des entrevues à ce moment-là n'est pas tout à fait bien reçu par les gérants et publicistes qui eux, avaient maille à partir avec «leurs vedettes». J'y étais, il fallait bien que je me débrouille, n'est-ce pas? À l'hôtel, c'est relativement calme et presque désert. Les touristes n'affluent pas dans de telles conditions et ce n'est pas avec 56 degrés F. qu'on se fait bronzer... même sur son balcon. Assis sur le bord de mon lit avec mes malles pas encores défaites, je me demaidais: «Qu'est-ce que je suis venu foutre ici?» Dans notre métier, nous avons nos hauts et nos bas. On s'imagine que c'est toujours l'émerveillement, mais ce n'est pas parce qu'on est à Hollywood, qu'on est journaliste et qu'on rencontre des artistes qu'on n'a pas un «down» de temps en temps. Température aidant, j'en sentais venir un et j'étais certain d'avance que ce voyage serait plus court que les autres. Mitch n'est plus barman ni serveur au Hyatt et la jolie petite blonde a également quitté son poste. Il ne reste que le «bell boy» et une ou deux serveuses qui me sont familières. Ceux que j'aimais retrouver sont partis vers un autre destin, ce qui n'allait pas aider le cafard que je ressentais déjà. Cette fois, j'ai la chambre 309, juste à côté de l'autre l'an dernier. Si vous remarquez, je ne suis pas dans les hauteurs et pour cause. À l'âge de 26 ans, j'ai failli périr dans l'incendie d'un building et j'ai été sauvé de justesse en empruntant, d'une toute petite fenêtre, la dernière marche de la grande échelle des pompiers. Je me demande encore comment j'ai fait pour enjamber, mais face à un «sauve qui peut», la peur s'atténue. Je sais donc, pour l'avoir vue à l'œuvre, que cette échelle atteint 12 étages, pas davantage, et depuis ce jour, jamais on ne m'a vu prendre une chambre d'hôtel excédant un 5e étage. Je regarde même toutes les possibilités de sauvetage en cas d'incendie. Il suffit d'être marqué une fois pour que la phobie ne meure jamais. Quand j'ai vu à la télévision l'incendie d'un hôtel du Mexique et des gens qui se lançaient dans le vide d'un 23e étage, je n'ai pas été capable de tout regarder et je n'ai pas dormi de la nuit après ces scènes d'horreur. Au 309, j'étais à l'abri de tout genre d'incencie. Tout comme au 310 et au 311 d'ailleurs qui donnaient au-dessus de la petite toiture du hall d'entrée. Un tout petit saut et j'étais sauvé. J'avais vraiment tout examiné!

Lina est venue me chercher pour me sortir un peu de mon désarroi. Il y avait une projection privée du tout nouveau film de Mel Gibson «The Year of Living Dangerously» et elle me pria de l'accompagner. J'y suis allé et j'avoue que le film en valait la peine. La Camaro de Lina était en réparation et c'est dans une vieille station wagon 1972 qu'elle m'a trimballé sous une pluie battante... à une vitesse folle!

C'est la soirée des Golden Awards et je m'y suis conditionné, car je vous avoue que ça ne me tentait pas cette fameuse course aux vedettes pour des «fast interviews» sur place. Juste à y penser et j'étais déjà essoufflé. J'ai mis mon smoking, peigné mes cheveux et je suis arrivé habillé comme un acteur dans la vieille bagnole de Lina parmi les limousines blanches et grises de huit à dix places. C'était hilarant de voir le monde nous regarder, surtout dans cette station wagon accidentée. On se demandait qui j'étais et j'entendis une dame dire à l'autre: «Ce doit être un acteur en nomination pour un film étranger!» J'ai ri comme ce n'est pas possible mais j'en flottais d'aise, d'autant plus que la voiture laissait croire à un «gag» ou une «fantaisie» de vedette. Robin Williams aurait été en plein le genre pour arriver de cette façon.

Je n'ai jamais vu autant d'artistes assister à une soirée et ce fut vraiment grandiose. On sentait qu'il n'y avait rien d'autre à faire en ce temps des tempêtes mais fort heureusement, il ne pleuvait pas ce soir-là. Juste en descendant de voiture, j'aperçois la grosse Nell Carter de «Gimme a Break» qui était en train d'engueuler son chauffeur parce qu'il l'avait descendue trop loin de la porte au tapis rouge. Vous auriez dû voir cette furie. Et devant tout le monde à part ça! Moi, si j'avais été lui, je vous jure que je lui aurais bouché l'origice bucal... avec une banane! À l'intérieur, c'était la pagaille et les gens se bousculaient comme ce n'est pas possible. J'avais dit à Lina: «Je pense que ce ne sera pas facile ce soir» et elle m'avait répondu: «Bah! je vous fais confiance.» C'est tout ce dont j'avais besoin pour me sentir sûr de moi. Ma première entrevue se déroula avec Drew Barrymore et Henry Thomas, les deux merveilleux enfants du film «E.T. l'extra-terrestre» qui remporta ce soir-là à peu près tous les trophées incluant celui du meilleur film de l'année. Ils étaient timides, surtout le petit garçon. Tous ces photographes sur eux, c'était apeurant à la fin. Il est évident qu'avec des enfants, on ne parle pas trop longtemps, mais les parents étaient bien contents de me dire tout ce qui leur arrivait. Je ne m'éternisai pas avec eux parce que Lina venait de me faire signe que James Brolin était disponible. Très à l'aise, encore avec sa femme à ce moment-là, le fameux directeur de l'émission « Hôtel » affichait une belle simplicité en dépit de sa célébrité. Les femmes se pâmaient sur son passage et Brolin, faisant mine de les ignorer, m'avoua que son plus grand regret était que son film sur la vie de Clark Gable ait été un véritable « flop ». Par contre, « Amytiville » avait bien marché et là, avec « Hôtel », c'était le pinacle. James Brolin était fier de rencontrer un Canadien français car il disait avoir aimé son séjour au Québec il y a quelques années. Je le quittai sur un bon ton et sa franche poignée de main me persuada qu'il avait aimé l'entretien.

Après Brolin, je n'ai pas eu le temps de respirer que la très belle Jane Seymour faisait son entrée. J'ai toujours adoré cette femme. Belle, très sensuelle et distinguée, il me fallait à tout prix obtenir une interview avec elle. Je fis moi-même les démarches et elle accepta gentiment de me suivre à l'écart. Je la félicitai pour ses nombreux rôles, mais j'avais peine à me dégager de son regard tellement ses yeux étaient envoûtants. Elle avait emprunté le nom de l'une des femmes de Henry VIII et ça lui avait porté fruit, puisqu'on se rappelait de son nom partout. Elle portait pour la circonstance une robe de velours bourgogne digne de la cour de Louis XV. Les regards étaient rivés sur elle. Les hommes l'admiraient, les femmes la discutaient. Je remarquai même que Joan Collins, qui était maîtresse de cérémonie, la fixait avec envie. Jane Seymour fut remarquable d'intelligence et je n'oublierai pas de sitôt, ces quelques vingt minutes passées en sa compagnie. J'aurais passé la soirée à discuter avec elle et je l'aurais sûrement raccompagnée jusqu'à son hôtel !

Me voilà avec Robert Goulet qui me parle avec nostalgie du Canada et de Toronto, au temps où il avait son émission avec Shirley Harmer. Très en forme, il a quand même terriblement vieilli suite aux ravages causés par son alcoolisme. Il faisait tout pour paraître heureux, mais je sentais en lui une extrême détresse. Les producteurs semblaient l'avoir oublié et il en était presque réduit à chanter dans des cabarets pas toujours huppés pour gagner sa vie. Ce soir-là, il interpréta l'une des chansons en nomination « If We Were in Love » et reçut une ovation de la part du public. Quand il déposa son micro, je crus noter qu'il avait déjà les yeux moins inquiets. Bob Goulet n'avait rien perdu de son talent.

Le prochain allait me faire bien rire. En deux temps trois mouvements, je suis avec Dudley Moore qui me dit pour commencer l'entrevue : « Enfin, en voilà un que je pourrai regarder dans les yeux sans me casser le cou ! » C'est peut-être parce que je ne mesure pas six pieds qu'il accepta d'emblée l'entrevue et les photos. Celles-là, Lina ne les rata pas et ni les fronts ni les mentons n'étaient coupés. Encore avec la grande Susan Anton à ce moment, cette dernière était déjà sur scène afin de chanter "Eye of the Tiger", une autre chanson primée. Dudley Moore ne faisait que des farces et j'eus beaucoup de misère à échanger des propos sérieux avec lui. Heureusement que son publiciste m'a aidé par la suite car je n'aurais jamais rien pu écrire de sérieux sur ce bouffon de société. Il me demanda où j'étais assis et me dit: «Je viendrai prendre le digestif avec vous car vous êtes le seul ici avec qui je peux être debout!» Dudley Moore a un terrible complexe de ne pas être grand. Il en parle trop pour le cacher ce fameux complexe, tout comme une personne obèse qui fait continuellement des farces avec son poids. C'est aussi pourquoi il fréquentait Susan Anton. Beaucoup plus par fantaisie que par amour, j'oserais dire. Dudley Moore, c'est le genre «Regardez-moi, je suis petit!!» ce qui ne l'empêchait pas en tant qu'acteur d'être très grand. Et pourtant ce complexe n'habite pas un Dustin Hoffman ou un Al Pacino. Mais pour un Dudley Moore, c'est différent et j'ai eu envie de lui dire: «Dans les petits pots, les meilleurs onguents!»... mais il n'aurait rien compris, sûrement!

C'est également lors de cette soirée que je rencontrai pour la première fois la séduisante Linda Evans. Je devais la revoir à deux reprises par la suite, mais je vais tenter de vous en livrer la belle image d'un seul trait. Contrairement à Karen Grassle, Linda Evans est dans la vie ce qu'elle projette dans la peau de «Kristle», de l'émission «Dynastie». Douce, suave, le regard triste et empreint de bonté, on dirait le genre de femme à qui l'on voudrait se confier sans cesse. Elle attire la sympathie de tout le monde et ses superbes yeux bleus feront d'elle une belle femme à tout jamais. Le soleil de la Californie, qu'elle consomme sans doute trop, a tendance à lui offrir quelques rides prématurées, mais ça n'enlève rien à la grâce et au charme qu'elle dédage. Tout comme la regrettée Grace de Monaco, Linda Evans a un port de tête de souveraine. Sa coiffure adoptée de toutes les femmes, le parfum qui porte son nom «Forever Kristle», ses robes, sa teinte de cheveux, tout est copié par un million d'Américaines, sans parler des autres femmes à travers le monde. Très grande, les épaules bien carrées, (trop même) elle a ce corps d'athlète qui lui aurait fait gagner les Olympiques si tel eut été son talent, mais sa féminité l'emporta sur sa robustesse. Je me souviens d'elle dans «La Grande Vallée», alors qu'elle n'était qu'une débutante avec Lee Majors. À 43 ans, elle avait fait du chemin la starlette d'autrefois et John Derek n'y fut pour rien. Elle a toujours mal accepté le fait d'avoir été rejetée de lui pour les beaux yeux de Bo Derek, mais John n'avait-il pas fait la même chose pour elle lorsqu'il avait quitté Ursula Andress?

Rancœur mise à part, Linda Evans me disait avec sincérité à quel point elle avait fini par trouver le bonheur. Elle était si douce lors de nos rencontres que j'ai du mal à l'imaginer en colère, même si elle prétend avoir du caractère quand il le faut. Linda Evans est une perle de femme dont plusieurs hommes aimeraient être l'écrin. J'ai vu combien on l'aimait quand elle est entrée. La foule hurlait son nom et des adolescents de 16 ans, tout comme des hommes de 60 ans, se bousculaient pour obtenir de sa main, son nom en lettres majuscules. Linda Evans n'a jamais refusé de m'accorder une entrevue et c'est toujours avec élégance qu'elle l'a fait. Elle est du genre de femme à qui l'on souhaite les plus belles choses de la vie. À la belle «Kristle», moi... j'offrirais le paradis!

Il n'en va pas de même pour sa consœur de l'émission, Joan Collins. Oh non, celle-là, je ne lui donnerais pas le bon Dieu sans confession. Je ne l'ai rencontrée qu'une seule fois et ce fut suffisant. L'entrevue n'a pas été de très longue durée, car je n'arrivais même plus à lui demander quelque chose d'intelligent. Joan Collins est une femme de glace, une véritable «Alexis» dans la vie... ou presque. J'aurais souhaité que ce ne soit pas le cas, qu'elle soit un peu dans le style de Jane Seymour, mais fort désagréable avec presque tous les journalistes, je n'eus droit qu'à quelques sourires de commande et un air hautain. C'est en lisant sa biographie intitulée «Passé Imparfait» que j'ai compris qu'elle était destinée à être ce qu'elle était aux yeux des gens, c'est-à-dire, une personne antipathique. Quand elle est entrée, on n'a pas crié et on ne l'a pas approchée. On l'a regardée passer et ensuite, on a murmuré pour finalement la critiquer. Aussi impopulaire que «Marie-Antoinette» lors de la Révolution, Joan Collins ne réussira jamais à capter le cœur des gens, parce que pour ça, il faut non pas du talent mais de l'émotion, ce qu'elle ne ressent pas envers les autres. Je l'ai rencontrée et c'est comme si je ne l'avais jamais croisée. À la fin de notre échange, un monsieur non loin de là me dit: «Elle est froide, hein?» et j'ai répondu: «Que voulez-vous, monsieur... c'est une Anglaise!» En écrivant cette réplique aujourd'hui, je demande à Jane Seymour de me pardonner. Non, vraiment, l'exception ne confirme pas la règle!

J'étais vraiment sur le chemin d'une belle «Dynastie» puique mon prochain invité allait être nul autre que John Forsythe alias «Blake Carrington». En compagnie de sa charmante épouse, cet acteur impressionnait tellement la foule que c'est tout juste si on ne s'inclinait pas sur son passage. Monsieur Forsythe était du genre aristocrate distingué à la figure aimable et au sourire très prenant. Je suis sûr qu'à titre de Président des États-Unis, il aurait encore plus de succès que Ronald Reagan. Je sentais que tous les acteurs de son émission le respectaient. Il imposait aux autres ce que Michael Landon avait su faire lors de «La Petite Maison». L'émission «Dynastie» était encore plus forte à ce moment que maintenant et y participer voulait dire la consécration pour une vedette. Inconnu un jour, on devenait, grâce à «Dynastie», dès le lendemain, très célèbre à travers vingt-quatre pays. Alors, imaginez tous les curriculums que les artistes venaient déposer. John Forsythe fut très accueillant pour le journaliste venu de loin que j'étais. Très heureux d'apprendre que l'émission allait être traduire en français, il me priait de saluer tous les gens du Québec avec tout le paternalisme qu'on lui connaît. Son épouse me parla de lui, de sa tendresse, de ses malaises cardiaques et ça m'émouvait. Quel couple exquis. Tous les journalistes voulaient s'approprier John Forsythe et c'est moi qui avais réussi à l'interviewer le premier. J'en était plus qu'honoré.

Mon Dieu, mais ça ne s'arrêtait donc pas? J'étais stressé, pris d'un trac qui ne me lâchait pas ce soir-là et voilà que Lina me présente Tony Randall, le superbe «Félix» de la série «Oscar et Félix». La première chose que ce monsieur me demande, c'est si je fume. Comme je fumais à cette époque, je répondis dans l'affirmative et j'ai eu droit à la plus verte semonce de mon existence. Tony Randall était anti-cigarettes et me réprimandait, tel un enfant. Il m'a fallu le rappeler à l'ordre et j'ai failli lui dire de s'occuper de ses poumons et de me laisser m'arranger avec les miens, mais ce faisant, j'étais certain de perdre mon entrevue. Remarquez que ça n'aurait rien changé pour ce que j'en ai retiré. Fanatique au plus haut point, «Félix» ne me parla que de santé, de jogging, des méfaits du tabac et en profitait pour engueuler tous les acteurs qu'il connaissait et qui passaient avec une cigarette à la main. Chez lui, on ne fumait pas et dans les restaurants, il s'emportait contre les fumeurs. Il m'avait même dit sur un ton dédaigneux: «Pensez juste un moment à toute la pollution que je vais absorber ici ce soir!» Quel drôle de pistolet que ce Randall à qui j'ai presque dit: «Pourquoi n'êtes-vous pas resté chez vous dans ce cas?» J'ai préféré en rire... et j'en ris encore!

Ma prochaine rencontre allait me consoler bien vite de cet énergumène. Belle à damner un saint, Donna Mills, de «Knott's Landing», accepte gentiment de me suivre jusqu'au bar pour une brève entrevue... qui dura quand même quinze minutes et même plus. Très antipathique aux yeux des téléspectateurs de par son rôle, moi, je n'avais de yeux que pour les très beaux yeux verts qui me fixaient. Douce, affable, vêtue comme une «Barbie», Donna Mills avait physiquement tout de la poupée américaine. Populaire parce que présente au petit écran, je sentais par contre qu'elle ne serait toujours qu'une fille de télévision et jamais une bête de cinéma. Quand on commence sa carrière dans un «soap» d'après-midi et qu'ensuite on se retrouve dans une série, on a peu de chance de devenir une Meryl Streep du grand écran. La transition ne se fait pas en criant ciseau et les seuls films que décrochent ces vedettes sont des films tournés encore pour la télévision. Donna Mills se montra fort gentille, me parla beaucoup d'elle, de son célibat, de ses chiens, de ses chats. Bref, rien de profond, tout de gentil. Lina y alla de son déclic et j'en étais rendu à me forcer pour emprunter le fameux sourire de commande. Je la vis partir dans sa robe de mousseline noire et c'est son agent qui m'envoya le lendemain, à mon hôtel, plus de détails sur la vie professionnelle et personnelle de sa protégée. Il y avait de plus en plus de monde d'arrivé et les entrevues étaient de plus en plus difficiles à obtenir. Les vedettes passaient comme des flèches et «leur arracher le bras en passant», ce n'était pas mon genre. Je poussais mon audace assez loin... mais pas jusque-là !

« On m'a dit que vous étiez de Montréal?» me lança-t-il en arrivant. Très surpris d'être à mon tour accosté par un acteur, je me trouvais face à face avec William Shatner, le fameux «Capitaine Kirk» de «Star Trek», qui passe encore en reprise au petit écran à trois postes en même temps. William Shatner semblait réellement fier de parler avec un Montréalais, d'autant plus qu'il y avait grandi et vécu. Gradué de l'université McGill, il fut l'un des premiers Canadiens à réussir aux États-Unis. Très charmant, il était en compagnie de sa femme et de sa fille Élizabeth qui se dirigeait elle aussi vers une carrière d'actrice. William n'avait rien oublié de Montréal et de ses environs. Il me parla de la rue Ste-Catherine, du cinéma Loews, de Dupuis Frères, du parc Belmont, des clubs de nuit tels le El Morocco et le Casino Bellevue. Nostalgique pour dix minutes, il évoqua le passé pour ensuite me raconter son ascension et tout ce qui lui était arrivé depuis. Il lui restait quelques brins de paille de parenté à Montréal, mais il était devenu avec le temps un «genuine american».

Très bon père de famille, rempli de bons principes, il ne voulait pour rien au monde que sa carrière empêtre sur sa vie privée. Il m'apprit à quel point il avait dû bûcher fort pour en arriver là et combien insécure pouvait être ce métier. Policier, détective, Shatner a joué plusieurs personnages, mais c'est celui du «Capitaine Kirk» qui en a fait réellement une vedette. Il me quitta non sans m'avoir dit de le rappeler à mon prochain voyage. Je n'eus pas à le faire, je le rencontrai une autre fois au même gala et il m'avait crié: «Hello, my friend from Canada!»

Les filles criaient à fendre l'âme et je me demandais bien qui venait d'entrer. C'était Robert Urich en personne, le beau gars à posters et la supervedette de «Vegas». Je regarde Lina et lui dis: «Il me le faut!» ce à quoi elle répond: «Voilà qui ne sera pas facile, voyez tous ces vampires autour de lui!» Effectivement, Urich était inaccessible et je dus l'oublier, mais à la fin de la soirée, alors qu'on le poursuivait moins, je réussis à l'accrocher à mon hameçon de magnétophone et l'entraînai presque de force dans un couloir discret. Très heureux de m'accorder du temps, d'autant plus qu'il aimait les gens persévérants, Robert Urich me présenta son épouse et se mit en frais de me raconter sa vie. Très grand, les épaules bien carrées, cet ancien joueur de football avait déjà du gris aux tempes et n'avait pas encore 40 ans. Assez bien de sa personne, je notai cependant que c'était le genre de gars qui allait vieillir très vite et je ne me suis pas trompé, car s'il paraît encore assez bien, Robert Urich n'a déjà plus le physique d'emploi à vendre des posters. Carrière bien établie par contre, il aimait travailler ferme et fut l'un des acteurs à tourner le plus de films pour la télévision. Il avait le sourire facile et beaucoup d'entregent, ce qui fit de lui un être avec lequel les directeurs aimaient travailler. Très vedette, Robert Urich n'en avait pas les crises et c'est sans doute ce qui le conduisit très loin. Il me quitta enchanté de notre rencontre et les «groupies» à la porte se remirent à crier de plus belle... au grand désespoir de sa femme!

«Lina, j'en ai assez. Je n'ai plus de salive et je ne peux plus faire d'entrevue ce soir. Partons, je vous prie.» Comme elle était docile sur ce point, elle allait ranger sa caméra lorsque survint l'actrice Ann Jillian qui la connaissait et qui se jeta dans ses bras. Lina me la présente et reprend sa caméra sachant fort bien que je n'allais pas refuser cette pétillante blonde. Ann Jillian, qui venait de terminer le film «Mae West» dans lequel elle incarnait la vamp des années '30 de façon merveilleuse, fut, dès le départ, l'actrice que j'estimai le plus dans le milieu. Je ne sais trop par quelle magie, mais elle devint en cinq minutes une véritable amie. Elle me parla de ses débuts, de ses passions et de son désir le plus cher, celui d'être un jour mère. Deux ans plus tard, je devais la revoir alors qu'elle présentait une chanson de l'année aux Golden Globe Awards et elle me reconnut au premier coup d'œil. Nous avions encore longuement causé tous les deux. Blonde platine avec les cheveux raides, elle portait une blouse rose avec nœud papillon et un pantalon à bretelles. Elle était superbe et démontra un grand talent de chanteuse aux côtés de Engelbert Humperdinck. Plus tard, j'appris qu'elle avait subi une double mastectomie. Le cancer s'étant répandu trop vite, l'ablation des seins fut nécessaire et Dieu sait que Miss Jillian avait tout ce qu'il fallait pour être la plus sérieuse rivale de la plus plantureuse pin-up des calendriers. Comment réagit-on à une telle nouvelle et comment vit-on après une telle opération? On m'a dit que Ann Jillian avait traversé l'épreuve avec un courage exceptionnel et que son moral n'avait subi aucune baisse. Munie de prothèses, elle avait décidé de poursuivre sa carrière aussi allègrement qu'avant et j'osais espérer que les producteurs lui seraient sympathiques. À Hollywood, on a refusé de reprendre des artistes pour beaucoup moins que ça. On veut la perfection et le seul fait que l'ablation de Ann fut rendue publique peut lui être défavorable. J'ose espérer que ce ne soit jamais le cas pour elle car il serait trop injuste de voir le rideau tomber sur une telle femme. Tel ne fut pas le cas, puisque récemment, un film tourné pour la télévision la mettait en vedette. Cette fois, Ann jouait le rôle d'une mère de famille qu'on avait incarcérée à la suite d'une erreur judiciaire. Un rôle très fort et à la hauteur de son talent. Elle n'a donc pas livré son combat en vain et loin de l'image de la fille sexée, elle peut maintenant prouver ce qu'elle n'aurait jamais pu faire autrement. Ann Jillian, sachez que je vous admire et que très bientôt... je vous reverrai !

Qui ne connaît pas Jack Lemmon. Non, je ne l'ai pas interviewé car je ne l'avais même pas vu entrer. Mais sachez par contre... que je l'ai vu sortir ! Jack Lemmon était en nomination pour le meilleur acteur de l'année avec son rôle dans « Missing ». Malheureusement pour lui, c'est Ben Kingsley qui obtint le prix avec son interprétation de « Ghandi ». Je ne sais trop si c'est par dépit ou quoi, mais Jack Lemmon et son épouse quittèrent la salle à la fin de la soirée complètement ivres. Coupe de vin rouge encore à la main, bras dessus bras dessous, ils titubaient tellement tous les deux qu'ils ont arrosé de leur précieux nectar plus d'une robe de soirée en cours de route. J'ai toujours entendu dire que Lemmon avait de graves problèmes d'alcool mais ce soir-là, je l'ai vu de mes yeux et le spectacle qu'il offrait face au public était des plus disgracieux. Mais selon Lina, ce n'était là qu'un « repeat » de la dernière fois. Ce fut une soirée plus qu'agitée et si Meryl Streep se mérita le trophée de la meilleure actrice pour son film « Sophie's Choice », Joan Collins remportait, pour sa part, celui de la meilleure actrice de la télévision. Le trophée Cecil B. De Mille, qui est remis chaque année à un artiste pour l'ensemble de sa carrière, alla cette fois-là à Sir Laurence Olivier. Si seulement Vivien Leigh eut été encore de ce monde, elle aurait certes été très fière de voir sur le podium l'homme qu'elle avait le plus aimé.

Malgré la pluie, les vents forts et la terrible intempérie, c'est le Super Bowl du football à Los Angeles et les fans sont venus de partout, plus bruyants les uns que les autres. Inutile d'aller prendre un verre au bar. Vous savez ce que ça donne des centaines de partisans qui ont trop bu ? Je n'avais pas envie de vivre ça et j'ai préféré me retirer pour dormir et oublier que dehors, c'était redevenu infernal et que ça n'allait pas cesser de sitôt.

Les publicistes ne semblent pas intéressés à rendre les appels et

Ma toute première entrevue avec Sam Jones, «Flash Gordon».

Chez Richard Hatch, le beau capitaine Apollo de «Galactica».

À Bel Air, chez Rosemary et Robert Stack.

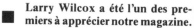

Larry Wilcox a été l'un des premiers à apprécier notre magazine.

Lou Ferrigno, un «Hulk» dur d'oreille.

Gérard Ismaël, «Le dernier aman romantique».

Avec René Simard et Alison Arngrim... lors de l'incident.

Avec Randi Oakes, «Bonnie» de l'émission «Chip's».

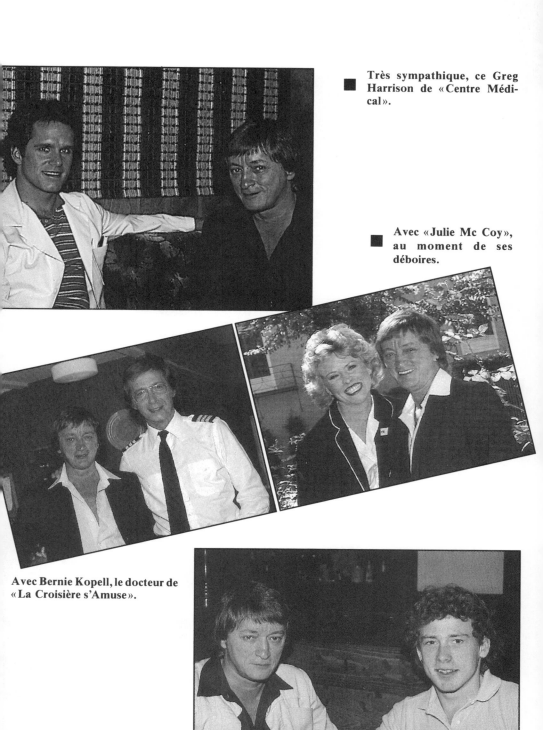

Très sympathique, ce Greg Harrison de «Centre Médical».

Avec «Julie Mc Coy», au moment de ses déboires.

Avec Bernie Kopell, le docteur de «La Croisière s'Amuse».

Willie Aames de «Huit ça Suffit» avait déjeuné avec moi.

■ Non, ce n'est pas «Oscar»... mais «Félix» qui détestait la cigarette.

■ Avec Melissa Gilbert, chez elle, en plein aprè midi.

■ Bruce Boxleitner avait préféré m'inviter sur son ranch.

Avec une Jane Seymour belle comme une déesse.

Quel beau couple! C'est Morgan Fairchild et moi!

Oui, c'est Barbara Bel Geddes, « Maman Ewing » de « Dallas ».

James Brolin, le grand patron de « Hôtel », était fort aimable.

La jeune Danielle Brisebois était très populaire à ce moment.

Pour prendre le petit Henry Thomas de E.T., on m'a coupé la tête !

Avec nul autre que Bob Barker à « The Price is Right ».

Lors de ma première rencontre avec la belle Linda Evans.

Avec Mike Connors et sa charmante épouse.

**Sur la motocyclette de Erik Es-
trada de Chip's. Qui dit mieux?**

Avec Persis Khambatta, la femme chauve
de Star Trek qui ne l'était plus...

**Melissa Sue Anderson n'a jamais
voulu regarder l'objectif.**

William Shatner était heureux de rencontrer un Montréalais.

Billy Moses de « Falcon Crest », chez son agent.

Dans le salon de Dick Van Patten de « Huit ça Suffit ».

Avec nul autre que « Mister Carrington », John Forsythe.

■ À Bell Canyon chez Larry Wilcox qui me garda pendant des heures.

■ Un peu hautaine cette «Madame Ingalls», n'est-ce pas?

■ Bo Hopkins, celui qui avait une patate chaude dans...

À Beverly Hills, chez Gaby Desmarais, le photographe de la gloire.

Lors de ma rencontre avec Alison et le regretté Steve Tracy.

Un gars que j'aime beaucoup, l'acteur Jeff Bridges.

Avec Jack Coleman, le fameux «Steven» de Dynastie.

■ Heidi Bohai de «Hôtel» en avait long à me dire.

■ Avec le préféré des petites filles, Chris Atkins.

■ Une rencontre inattendue avec Gina Lollobrigida.

■ Le docteur Njor du film «The Killing Fields».

Le superbe Michael York avec sa tendre moitié.

Sally Field, la «Soeur Volante» du noir et blanc.

Kate Jackson, une «drôle de dame» très sympathique.

Marilyn McCoo de l'émission «Solid Gold».

Ricardo Montalban, un latin très fier de lui et peu aimé... de «Tatoo».

Qui ne rêve pas de rencontrer un jour Elizabeth Taylor?

Avec les petits frères Laborteaux chez eux.

Ted Danson est tellement grand qu'on a perdu sa femme!

Mary Crosby, la fille de Bing, et la vedette de «Dallas».

Dick Clark avait un fichu mal de tête ce soir-là.

Avec Loni Anderson... yeux dans les yeux.

Peter Fonda... beaucoup plus gentil que soeur.

Kathleen Turner souffrait d'une terrible laryngite.

Connie Sellecca, une directrice d'«Hôtel» fort séduisante.

Ann Jillian, ma douce amie, avant son opération.

Hugh O'Brien, un vétéran de l'écran, un vrai cow-boy!

Une très belle «Barbie» appelée Donna Mills.

Un gars charmant, Tom
Hulce, alias «Ama-
deus».

Dudley Moore était content
que je ne sois pas plus grand.

Monsieur
George Peppard lors
d'un gala.

quand ils le font, c'est pour me dire que la vedette est partie à Hawaii ou à Porto Rico... trouver un peu de soleil. Il pleut à boire debout à Los Angeles et cette nuit-là, nous avons fait face à un troisième ouragan qui a tout balayé sur son passage à Malibu. Le bulletin de nouvelles est désastreux et mon état d'âme l'est davantage. J'avais le goût de tout foutre en l'air, d'appeler Air Canada et tenter de rentrer à Montréal par l'avion de l'après-midi. Avec toutes les entrevues déjà obtenues, je me demandais bien ce que je faisais ici à subir le fléau de la nature qui tombait sur la tête des Américains. Moi, je n'appartenais pas à ce drapeau et réintégrer Montréal était tout ce qui m'intéressait. Je m'apprêtais à ramasser quelques vêtements quand le téléphone sonna et que le publiciste de l'émission «The Price is Right» m'avisa que Bob Barker était prêt à me recevoir l'après-midi même après avoir pris connaissance de mon magazine. Enfin, me dis-je, le bon Dieu ne veut pas que je parte tout de suite. Lina vint me rejoindre vers midi et ensemble, nous avons emprunté le chemin des studios CBS où a lieu le quiz le plus écouté de l'Amérique et du Canada depuis vingt-cinq ans. N'entre pas qui veut dans ce labyrinthe et c'est d'une réception-niste à un gardien de sécurité à une autre réceptionniste que nous avons enfin pu trouver le chemin du plateau. En dépit de la pluie diluvienne, il y avait foule car Bob Barker s'apprêtait à enregistrer une émission et c'est tout juste après que je devais le voir. J'ai pu apercevoir en passant ses superbes hôtesses dont Diann que je trouve la plus belle. Il y avait là du monde venu de partout avec tous un prénom sur leur blouse ou leur chandail. Des «Louisa», «Herbert», «Jimmy», «Nancy», etc., je pouvais tous les lire et me rendre compte que chacune de ces personnes voulait plus que tout au monde être appelée par la voix de ténor du meneur de jeu. Comme on me l'a expliqué, le choix se fait au préalable, mais sans que les concurrents le sachent. Il y a là des recruteurs engagés spécialement pour se promener parmi la foule et discerner des candidats intéressants. On en choisit des énervés, des plus calmes, des jeunes, des vieux, des noirs, des blancs, des jaunes, bref, on les passe au peigne fin et ensuite, on les questionne un peu. On s'informe à savoir d'où ils viennent pour ne pas qu'ils soient tous de New York par exemple et aussi ce qu'ils font dans la vie pour que les métiers soient diversifiés et parfois inusités, ce qui aide Bob dans son introduction. Si l'on pense que «The Price is Right» n'attire que les collets bleus ou l'âge d'or, on se trompe. J'ai vu là, en suivant quelques recruteurs, des notaires, des femmes d'affaires et j'en passe, qui espéraient bien être choisis. L'appât du gain, c'est pour toutes les classes de la société et ce n'est pas parce qu'on possède une Mercedes qu'on n'a pas le goût de gagner comme ça, sans la payer, une petite Chevette ou un yacht de plaisance. Ce que les gens souhaitent le plus?

Une voiture, un voyage ou un ameublement complet. Le reste, ce n'est que de la garniture et pourtant, «le reste» au Québec se voudrait «un gros lot» si on pouvait l'offrir dans nos quizs. À cette époque, ici, les prix qu'on offrait étaient bien souvent des billets... de mini-loto!

J'ai vu l'émission, j'ai entendu les cris, j'ai absorbé cette euphorie et j'en ai presque eu un mal de tête. Des gens en larmes, des femmes qui embrassent sans cesse Bob Barker, (il doit sûrement hériter d'un feu sauvage par jour) et d'autres complètement hystériques qui crient et sautent à la fois comme des personnes en pleines convulsions. Je me demande où Bob Barker puise sa patience et son énergie après toutes ces années. Il doit sûrement exister des pilules antistress, anticris et antibruit... pour passer à travers de telles journées. Je vous jure que depuis ce jour, j'ai peine à regarder cette émission de mon salon, tellement ça m'énerve. C'est comme si j'en étais revenu avec un choc nerveux!

J'attendais depuis quinze minutes dans la loge de Bob Barker quand ce dernier, frais et dispos après une bonne douche, fit son entrée pour me serrer la main. Il était aussi calme que s'il revenait d'une promenade en forêt... pendant que j'étais encore tout secoué. Grand, mince, très distingué, Bob Barker ne faisait pas ses 64 ans. Je lui en aurais donné dix de moins. Il m'offrit un jus d'orange (un autre) et j'acceptai même si j'étais sûr, avec la quantité, de finir par avoir des boutons d'acidité jusque sur les lobes d'oreilles. Très courtois, il me présenta ses hôtesses qui, une à une s'éloignèrent, pour le laisser seul avec moi. Sa loge était superbe. Miroirs partout, salle de bains, superbe divan, on aurait dit une suite d'hôtel où rien ne manquait... sauf un lit. Nous avons parlé de l'émission, je lui ai donné mes impressions et ensuite, il a plongé en profondeur dans tout ce que contenait son cœur. D'animateur émérite, Bob Barker venait de prendre son visage d'homme de tous les jours et semblait heureux de parler à quelqu'un qui ne lui avait pas demandé... son salaire! Il me parla avec une infinie tristesse de la mort de son épouse dont il ne s'était jamais consolé. Il me fit part aussi de ses années difficiles tout autant que le jour où le bon Dieu (parce qu'il est très croyant) l'avait gratifié d'une émission qui l'avait sécurisé à tout jamais. Son sujet préféré, et je ne m'y attendais pas, était les animaux. Bob Barker ne faisait pas que les aimer. Tout comme Brigitte Bardot en France, il s'était porté défenseur des animaux et combattait la torture qu'on leur infligeait en laboratoires. Il prônait la survie tout en déplorant la chasse qui pour lui voulait dire tuerie. Bob Barker n'aimait pas les animaux, il les vénérait et mon entrevue prit au moins deux cassettes que sur ce seul sujet. Il était président d'une association qui défendait les animaux et envoyait régulièrement des pétitions au Président Reagan pour qu'on cesse les barbaries, surtout en laboratoires, sous prétextes de supposées expériences médicales. C'est pourquoi il a toujours refusé qu'on offre des manteaux de fourrure à son émission. Je passai au moins une heure avec lui et j'en savourai chaque minute. Bob Barker avait une autre émission à enregistrer après notre rencontre et quand on vint l'en avertir, c'est comme s'il avait repris son masque.

Sourire «Colgate», cravate, maquillage, il repartit, non sans m'avoir remercié de tout cœur de l'entretien... et la folie furieuse recommença. Il avait accepté d'autographier sa photo pour ma vieille maman qui l'adorait et ce fut pour elle un très beau souvenir qu'elle montra à ses amies jusqu'au dernier jour de sa vie. Parmi les cris, Bob reprit son micro et je me demandais, après les sérieux propos échangés, s'il ne se pensait pas dans une jungle au milieu de singes et de reptiles. Quand nous avons enfin quitté les studios CBS, laissant derrière nous tout ce vacarme, Lina s'écria: «Oh la la, quel soulagement!» et j'ajoutai: «Oui, ...mais quel homme étonnant!»

Sans doute blasé lui aussi de la pluie, Gérard Ismaël (Le dernier amant romantique) me téléphone pour qu'on puisse souper ensemble le même soir. J'accepte et il me rejoint à mon hôtel. Rien n'est facile pour lui, loin de là, Julie a toujours son emploi au salon de coiffure... mais lui? Il espère encore, passe des auditions par ci par là... et ce n'est pas son ami Jon Voight qui lui a déniché le moindre petit contrat. Il se débrouille avec les moyens du bord et m'annonce qu'il veut enregistrer un 45 tours en français et aller reconquérir le Québec. À titre de «dernier amant romantique», il pensait que tout allait s'ouvrir pour lui comme lors de son film, mais ce ne fut pas le cas. Il le fit son fameux disque mais en duo avec un partenaire, ce qui enleva immédiatement l'impact de «sa marque de commerce». Gérard Ismaël ne connaissait pas les Québécoises et il ne suffisait pas d'avoir derrière soi un film sensuel pour qu'on accepte n'importe quoi de l'acteur par la suite. Je lui avais dit qu'il lui fallait être seul sur disque et que ce soit une belle chanson d'amour. Gérard n'a pas compris et la chanson qu'il fît en duo avec un ami dont j'oublie le nom n'obtint aucun succès. De plus, le poster publicitaire le présentait à l'américaine avec son copain et il portait une casquette, ce qui enleva tout le charme qu'il tentait de déployer. Où était donc le sensuel acteur qui avait failli enlever son petit slip à l'écran? Gérard Ismaël, qui avait été tombeur de femmes dans son film, ne l'était pas dans la vie. Il lui aurait fallu un excellent publiciste pour travailler sans cesse cette image qui lui avait porté chance mais laissé à lui-même, il était d'une maladresse qui le perdit. Il passa bien sûr à l'émission de Michel Jasmin et je me souviens avoir dîné avec lui et son copain lors de leur passage à Montréal. Confiant, assuré qu'il avait un «hit» entre les mains, ce fut hélas un «hit and run», puisque son disque ne tourna pas, ne se vendit pas et que son passage au Québec passa aussi inaperçu que celui d'un débutant venu d'un coin reculé de la province. Ce soir-là, au Hyatt sur Sunset, bien avant que tout ça n'arrive, je sentis que Gérard Ismaël n'était pas heureux à Hollywood et qu'il se rendait compte que rien de bon ne lui arriverait. Il parlait de la France, du théâtre qu'il aimerait y faire, des gens qu'il connaissait bref, il s'ennuyait d'être un inconnu au pays des «stars» quand il jouissait d'une solide réputation en Europe. Non, Gérard Ismaël ne rêvait plus et heureusement pour lui, Julie travaillait!

Brrr... il faisait froid comme ce n'était pas possible en Californie et je me serais cru au Canada en ce 3 février. À chaque fois que je voulais refaire ma valise, on me téléphonait. Cette fois, c'était un dénommé Jerry qui m'annonçait que suite à ma demande, les deux frères Laborteaux de «La Petite Maison» étaient prêts à me recevoir l'après-midi même. C'était loin d'être une belle journée, surtout pour des photos d'une résidence, mais Lina vint me chercher et je traversai la vallée de San Fernando... les ongles rentrés dans le siège tellement elle roulait vite. Arrivés sur les lieux, nous fûmes d'abord accueillis par un énorme chien qui n'aurait fait que deux bouchées de nous s'il n'avait pas été attaché. Attiré par les hurlements de la bête féroce, la mère adoptive des deux jeunes acteurs vint nous ouvrir avant qu'on ne sonne et je me suis senti nettement plus à l'aise avec le tout petit chien de l'intérieur qui remuait la queue de plaisir. Patrick n'était pas encore revenu du «High School» mais Matthew était là et c'est avec lui que j'eus le plaisir de m'entretenir en premier. Comme tout petit gars de 16 ans, Matthew était très timide et quand ma photographe s'éloigna pour causer avec sa mère, il devint plus ouvert et l'entretien se déroula très bien. Entre «Sagittaires» le contact s'établit rapidement. Le petit «Albert Ingalls» d'origine italienne et dont j'ai écrit deux articles sur lui, était un agréable garçon. Son frère Patrick arriva et beaucoup plus volubile que Matthew, il parla sans cesse et surtout... de filles, maintenant qu'il avait 18 ans. J'eus aussi droit au récit des crises cardiaques de leur père qui me les raconta lui-même en plus de me faire voir l'hideuse cicatrice des pontages subis. La mère, une ancienne actrice, me parla aussi de ses belles années. C'était un vrai moulin à paroles que cette femme et je n'eus pas assez de deux cassettes pour tout enregistrer. D'un à l'autre, c'en était étourdissant et Lina y allait de photos à l'intérieur comme à l'extérieur près de la piscine... mais loin du chien aux dents longues. À un certain moment, la mère me demanda: «Vous prendriez un jus d'orange... (oh non, pas encore) ou une bière? Ouf! j'obtai pour la bière et c'était une Michelob, ma préférée. La mère me parla de l'adoption de ses enfants, des années difficiles, des ambitions de ses fils bref, de tout sauf de son mal de rein... ce qu'elle a sans doute oublié. Je sentais déjà que Matthew, le petit aux cheveux noirs, avait plus de potentiel et qu'il réussirait davantage dans cette carrière. Patrick avait trop d'idées en tête et n'avait pas le «look» à devenir l'idole des filles. Matthew, avec son charme latin, était meilleure mise et je ne me suis pas trompé puisqu'on le vit dans plusieurs films et ensuite dans la série «The Whiz Kids» (Les Petits Génies). Patrick, pour sa part, doit sûrement réussir ailleurs, mais ce n'est ni le petit ni le grand écran qui l'ont choyé depuis «La Petite Maison». Dans leur vaste maison d'un quartier très résidentiel, il y avait de tout. Ils avaient même une salle de jeux avec des «Pac Man», des machines à boules et tout le reste, un peu comme chez Bo Hopkins. Au moins, c'était de leur âge. Très gentils tous les deux, très affables et surtout très intelligents, j'ai conservé leur adresse et il m'est arrivé souvent par la suite de leur envoyer des vœux à l'occasion des Fêtes. Avec cette entrevue, j'avais presque eu «La Petite Maison» au complet. Il n'y avait que Michael Landon que je n'avais pas réussi à accrocher. Voilà la preuve qu'on n'obtient pas tout ce que l'on veut puisque je n'ai pas encore réussi à l'interviewer après toutes ces années. Landon, qui au moment de mes visites traversait un divorce pour épouser une très jeune fille, n'était guère disposé face aux journalistes. On l'avait tellement blâmé, tellement descendu dans les journaux, que je me demande s'il n'a pas fait une croix à tout jamais sur «la rapace» que nous sommes. Mais comme disait ma mère, en amour comme en affaires, un de perdu, dix de retrouvés! Elle avait bien raison puisque le lendemain, j'allais rencontrer un autre acteur et pas le moindre... monsieur Larry Wilcox!

C'est lui-même qui m'avait téléphoné à mon hôtel dès que rentré, ce qui est assez rare à Hollywood. Larry Wilcox est le genre de gars qui aime savoir à qui il parle et retourne lui-même tous les appels reçus par son publiciste. J'avais bien hâte de rencontrer ce monsieur qui venait d'en voir de toutes les couleurs avec la mégère dont il venait de divorcer. Malheureusement, Lina ne pouvait pas m'accompagner, car Wilcox, qui habitait à une heure de Los Angeles, plus précisément à Bell Canyon sur son ranch, n'arrangeait pas Lina qui avait un rendez-vous médical. Comme je ne loue jamais de voiture parce que je me perds sans arrêt dans une ville étrangère, j'étais vraiment pris au dépourvu. Lina voulait m'aider à trouver quelqu'un d'autre, mais je connaissais des agences de presse et après un coup de fil à l'une d'elles, je négociai un photographe qui viendrait avec moi, voiture incluse. Enfin, un peu de chance et le lendemain, il faisait beau pour une fois, même si les rues et «highways» étaient inondés d'eau. Mon photographe se présenta à 9 heures et j'eus la surprise de me trouver face à un jeune homme d'environ 25 ans prénommé François et qui venait lui aussi de Paris. La France m'était vraiment tombée dessus ! François parlait un excellent français et même s'il n'était en Amérique que depuis trois ans, son anglais était aussi impeccable. C'était la première fois que j'allais travailler avec quelqu'un d'autre que ma petite Lina et j'avais bien peur de ne pas être satisfait. Je fis mes recommandations et je peux dire aujourd'hui que François était un excellent photographe, même s'il prenait trop de photos à la fois. Pendant une entrevue, il est du genre à prendre au moins vingt-quatre photos-témoins quand trois suffisent pour en trouver une bonne. Je fis un voyage très relaxant avec François car il avait le pied moins pesant que Lina et ne vociférait pas après tous les autres conducteurs. On meubla la conversation de tout et de rien, histoire d'apprendre à se connaître et François m'avoua qu'il voulait devenir de plus en plus professionnel et ne plus jamais quitter Hollywood. Je me demande où il peut en être rendu maintenant. Nous voilà rendus «au village» où habite Wilcox et où, encore une fois, on n'entre pas facilement. Un garde, une barrière, une identification, une vérification et l'on nous dit de monter la première avenue à gauche. On l'a fait et je pense qu'on a dû tourner en rond pendant quinze minutes. Un vrai manège de parc d'attractions ! Nous revenions toujours au point de départ comme dans le jeu des échelles et des serpents. Comme il y a sans cesse une patrouille qui circule à cause des vols, des intrus et des maniaques qui s'y glissent, on nous a vite interceptés. J'imagine Lina dans une telle situation, elle qui n'avait pas de patience. On s'explique, il vérifie avec le contrôle et finalement, nous indique le véritable chemin à prendre dans ces montagnes russes. Une domestique vint nous ouvrir et j'étais enfin dans la résidence du célèbre policier de «Chip's». Une musique de Mozart jouait en sourdine. Larry Wilcox adore le classique. Il arriva, l'air souriant, très bien vêtu et paraissant beaucoup plus jeune qu'au petit écran et surtout, deux fois plus mince. Très observateur, il me dit aimer la bague que je porte et ajoute, face à mon complet : «Le beige vous va très bien !» Aimable au plus haut point, il nous offre à tous deux un verre de protéines qu'il trouve très bon pour la santé. Il nous explique qu'il ne consomme aucun alcool, qu'il ne fume pas, qu'il s'entraîne régulièrement et le fameux verre arrive enfin et remarquez qu'il n'est que dix heures trente du matin. Je le goûte et je manque de m'évanouir. Je n'avais jamais bu une telle horreur de ma vie. Ça goûtait exactement le fameux «verre de craie» qu'on nous fait avaler de force lors d'une radiographie du foie. Attendant ma réaction, je prends mon plus beau sourire hypocrite pour lui dire : «It's delicious !» Je vous avoue l'avoir tout bu, mais à très petites gorgées, de peur qu'il m'en offre un second. François a bu le sien d'un trait pour s'en débarrasser et a refusé le «refill», en prétextant qu'il n'avait plus soif. Quelle drôle de raison! Et Larry Wilcox de m'entraîner dans le sillon de ses nombreux malheurs. Il avait besoin de se livrer à cœur ouvert et j'arrivais juste au bon moment. Il me parla avec amour de ses enfants, me montra des photos d'eux et il en avait presque les larmes aux yeux. Quand il me parlait «d'elle», je sentais de la rage dans son regard et il m'avoua: «Si mon ex-femme gagne sa cause, je suis ruiné!» Il y avait du désespoir dans ses paroles et une crainte plus qu'évidente. Ne faisant plus partie de «Chip's» après avoir démissionné parce que troublé par sa vie privée, il ne savait plus quel saint invoquer pour retrouver son équilibre. Il parlait de ses courses automobiles, des habits de course qui portaient son nom, des films qu'il voulait produire lui-même et en même temps, de sa terrible peur de se retrouver dans la dèche et sans le sou, si sa femme mettait ses menaces à exécution. Il était visible que cet homme n'avait pas été facile à vivre et sans doute vrai qu'il avait levé la main sur elle. Très prompt, très impulsif, Larry Wilcox me donnait l'impression du gars qu'il ne faut pas contrarier. De la façon dont il me parlait d'elle, il avait toujours raison et elle, tous les torts. Je n'ai pas tenté d'arbitrer quoi que ce soit et je me contentais de l'écouter comme son confesseur. Larry Wilcox appréciait ma présence et plus ça allait, plus je voyais qu'il n'était pas pressé de nous voir partir. Mon entrevue était terminée et il me parlait encore de Erik Estrada qu'il n'avait pas en haute estime, ainsi que des producteurs qu'il détestait, etc. Bref, je vivais son ressentiment et j'avais beau lui parler de demain, je sentais fort bien qu'il n'avait pas oublié hier. Je l'encourageai du mieux que je pus et entretien terminé, Larry Wilcox m'entraîna dehors pour me monter ses chevaux de selle. Grosse maison, des chevaux, un nom établi, des tonnes d'admiratrices... et je sentis qu'il était le gars le plus seul de la terre. Il me parla encore de son fils qu'il adorait, il voulait que je reste à dîner mais je dus quitter car François avait un autre travail à accomplir et je voyais encore une fois le temps s'assombrir. J'avais peur qu'on soit pris sur le «highway» avec un ouragan de plein fouet ou dans le dos. Larry Wilcox me serra la main, me remercia de l'avoir écouté et si bien compris qu'il me lança: «Si seulement il y avait des Américains comme vous. Personne n'est humain ici et quand on en trouve, ce sont des psychologues qui nous écoutent... à $200. l'heure!» Sachant que j'aimais la musique classique, il me fit écouter une œuvre de Tchakovsky et une autre de Malher. Il faisait vraiment tout en sorte pour que je ne parte pas, mais le temps était de plus en plus sombre et François et moi avons regagné Los Angeles dans un violent orage mêlé de grêle. La tempête continuait et le mercure était descendu à 57 degrés F. Seul à mon hôtel, je n'en pouvais plus de cette misère. Je n'avais plus le goût d'appeler les publicistes et d'attendre leur réponse. J'appelai American Airlines et profitai de leur special week-end à $50. l'aller-retour pour Las Vegas. Depuis le temps que je voulais voir cette cité du vice, je n'allais pas manquer ma chance et peut-être bien... qu'il faisait beau là-bas?

Un vol turbulent d'une heure dans un avion qui avait presque fait les deux guerres et j'arrive à Las Vegas. Il pleut à boire debout et c'est plus froid qu'à Los Angeles. Le mercure est à 40° F seulement. Imaginez, on gèle en plein désert! J'ai bien aimé le petit aéroport et dès mon arrivée, entre mon avion et mon taxi, j'ai joué dans une «slot machine» et j'y ai laissé $40.00. Je me suis installé au Dune's Hôtel, là même où Alison Arngrim (Nellie Oleson) avait donné un spectacle avec des danseuses l'année précédente. Les chambres ne sont pas dispendieuses, mais on en a toujours pour son argent. La première chose que j'ai vue dans la mienne... c'est une coquerelle!

Je suis resté à Las Vegas jusqu'au lundi matin. Il a plu sans arrêt et je n'ai pas vu le moindre rayon de soleil. Inutile de vous dire que j'ai joué au poker du matin jusqu'au soir. Ayant misé $100., j'en ai gagné $300. et j'ai joué avec ce profit toute la fin de semaine, finissant par le perdre, plus un autre petit $100. C'était vraiment dégueulasse comme casino. On finit même par se salir les mains à force de palper l'argent sale et puant des gens venus de partout. On ne mange pas ou presque à Las Vegas... on boit! Dès qu'une serveuse vous voit dans les mises à $1. et plus, elle vous offre «un drink». J'avais commandé une vodka et jus d'orange et, en un seul après-midi, elle est venue m'en porter au moins six autres à ma table, et ce, sans ne rien me demander. On boit sans s'en rendre compte et pas surprenant qu'on finisse par perdre. J'en étais rendu à confondre les 6 avec les 9. Le soir, je me suis payé un bon spectacle à l'hôtel. La revue musicale «Dream Street» valait la peine d'être vue avec ses 22 artistes en scène. Il y aussi, dans ces casinos, des prostituées de luxe. Alors que je gagnais, il y en avait une qui me rodait autour. Je la voyais venir et finalement, elle se planta à côté de moi et criait chaque fois que je gagnais. Il fallait que je m'en débarrasse et je ne cherchais qu'une bonne occasion. À un certain moment, elle me dit: «Dites-donc, vous êtes vraiment chanceux, vous!» ce à quoi je répondis avec tact: «Ce n'est rien ça, vous devriez voir ma femme, elle est en train de faire fortune dans la machine à sous!» Il n'en fallait pas davantage pour qu'elle parte en me disant: «Enjoy yourself!» pour ensuite aller à la pêche d'un autre poisson. Quand je racontai cette anecdote à ma femme et mes enfants à mon retour, mon fils, ce petit monstre, m'avait dit: «C'est parce qu'elle n'était pas belle, hein?»

Il y avait certes des artistes à Las Vegas comme le regretté Liberace qui y passait sa vie... ou presque. Suzanne Somers chantait quelque part et Ann-Margret dansait et chantait dans un autre «night club». De plus, le chanteur Jerry Vale était en vedette dans un casino. J'aurais pu essayer de les rencontrer... mais je n'en avais ni la force, ni le goût. Le lundi matin, à 8 heures, je reprenais mon vol pour Los Angeles et à 9:30 hrs, sans téléphoner à Lina ou à qui que ce soit, je sautais dans un autre avion qui me ramenait à Montréal. J'appris par la suite que j'aurais pu rencontrer John James, mais au diable! De toutes façons, j'allais l'avoir plus tard. Sur le sol de Dorval, il neige, il ne fait pas chaud, mais je me sens mieux face à ce décor de carte de souhaits que dans les tempêtes de la Californie. Ce fut mon plus court séjour et mes plus grandes misères. J'avais tout de même un tas d'entrevues dans ma mallette, mais le pire, et ça je ne l'ai jamais oublié, c'est que l'éditeur de l'époque n'avait même pas consacré une première page à Larry Wilcox... après tout le mal que je m'étais donné. Je ne le lui ai jamais pardonné!

À LA MERCI D'UN VOYAGE INTERDIT

Janvier 1984... et pour la première fois, avec regret, je n'irais pas à Hollywood. L'année qui venait de s'éteindre avait été fort difficile sur le plan santé. Pris de douleurs fréquentes au creux de la poitrine, je m'étais rendu d'urgence à l'hôpital du Sacré-Coeur où l'on m'avait gardé quelques jours. Après plusieurs tests d'importance, un cardiologue vient me voir et me dit en me signant mon congé: «Vous faites de l'angine. À la moindre douleur, placez l'une de ces petites pilules sous votre langue et ça passera!» Et vlan! pas plus compliqué que ça. Le «doc» venait de se débarrasser de moi à bon compte. Et voilà où on en est avec la carte «zoom» sans intérêt. Imaginez dans quel état je suis rentré à la maison. On venait de me dire comme ça, sans réserve, que j'étais pris du coeur et on me renvoyait chez moi comme un incurable avec des pilules à me mettre sous la langue. La première fois où j'ai essayé le fameux remède à la nitro, j'ai failli «exploser» et mon état s'aggrava. Mon frère me recommanda un médecin juif qui me fit passer des examens de la tête aux pieds dont certains fort durs à prendre. À la fin de ce sadisme, il me déclara: «Vous n'êtes pas pris du coeur plus que moi. Vous souffrez d'anxiété et d'angoisse, monsieur». J'aimais déjà mieux ça, mais la pause entre lui et l'autre m'avait mené au seuil de la déprime et j'eus beaucoup de mal à fonctionner comme avant. Fort heureusement, j'avais avec moi au travail, un rédacteur en chef du nom de Jacques Chaput qui m'a épaulé et secondé comme un frère. Ma tâche fut de beaucoup allégée et je pus, grâce à lui, prendre le temps de regarder ma vie et ma santé bien en face. Il y avait également Michel Choinière qui est aujourd'hui directeur du Lundi et Francine Fréchette qui oeuvre à mes côtés depuis dix ans. Toutes ces personnes m'appuyèrent de leur encouragement et je pus graduellement remonter la côte. Jacques Chaput ne travaille plus avec nous, mais il est demeuré un ami que je remercie aujourd'hui pour le soutien qu'il m'a apporté à ce moment-là. Michel est toujours à son poste et fait bonne équipe avec Francine, ce qui veut dire qu'en dépit de mon surcroît de travail, je n'ai jamais été seul à assumer le succès du Lundi. La question qu'on me posait était: «Irez-vous à Hollywood cette année?» et je répondais: «Je n'en sais rien encore». Pour en avoir «le coeur net», c'est le cas de le dire, je suis entré à l'Institut de cardiologie et j'y ai subi encore une fois tous les tests possible, allant même jusqu'au cathétérisme de bon gré... torture des masochistes! Ma cardiologue, une grande femme mince aux cheveux noirs qui ressemblait étrangement à la chanteuse française Barbara, m'avait dit: «Monsieur, ce que vous faites, ce sont des crises d'angoisse causées par un surmenage. Il est évident que le stress et l'anxiété y sont pour quelque chose et que ça vous resserre quelques petites branches ci et là, mais ce n'est rien de grave. Tout ce que vous devez faire, c'est restreindre vos activités, contourner vos émotions et si vous voulez un conseil qui ne pourra qu'améliorer votre état de santé... cessez de fumer!» Là, je n'avais plus le choix que de l'écouter et me plier à ce verdict qui se voulait beaucoup plus sage que celui du tout premier docteur. Le temps est un grand maître et règle bien des choses, mais il ne faut quand même pas lui tenir tête. J'ai suivi ses conseils à la lettre et j'ai fini par cesser de fumer... ce qui n'a pas été facile. Nous étions presqu'à la fin janvier et Lina me téléphonait souvent de Los Angeles pour savoir si j'arriverais le 26 ou non. D'une fois à l'autre, je lui disais oui pour ensuite lui dire non, mais j'étais vraiment indécis. Plus les jours approchaient et plus je ne m'en sentais pas la force. Je me voyais mal en train d'accomplir tout le boulot des fameux coups de téléphone, de l'angoisse de l'attente, du stress des entrevues instantanées, des randonnées à folle allure dans les collines. Non! Je n'avais qu'à repasser toutes ces images dans ma tête et mon désir s'écroulait. J'aurais voulu ne pas manquer les Golden Globe Awards, j'aurais aimé relever le défi une fois de plus, mais je ne voulais pas revenir sur une civière. Je mis tout dans une balance, le pour et le contre, l'effort à faire et les recommandations de «Barbara». Fuir l'angoisse? Contourner mes émotions? Se dire que dans cinquante ans, on allait tous être morts... and so what? J'aurais voulu y aller que je n'aurais pas pu. Le seul fait de me poser sans cesse la question m'angoissait et j'en étais même à me demander si je ne ferais pas de Hollywood, mon deuil à tout jamais.

Je téléphonai à Lina pour lui annoncer que je n'y allais pas, de ne pas m'attendre, que ce serait pour une autre fois, et je vous jure que c'est la mort dans l'âme que j'ai raccroché. Maman Simard, qui ne jure que par la Sainte Vierge, m'avait fait don d'une petite médaille miraculeuse rapportée d'un voyage. Elle m'a sûrement aidé à me remettre lentement sur pied, mais je pense aujourd'hui, chère Gaby, que votre bonne Vierge Marie ne voulait pas me voir aller suer en Californie.

Le 28 janvier, soir de la remise des prix à Hollywood, j'étais triste à mourir. Ma tête m'avait commandé de rester ici, mais mon coeur se voyait là-bas. La veille, j'avais dit à une infirmière, lors d'un examen de routine: «Vous savez, aujourd'hui, je devrais être à Hollywood et non ici!» Elle a dû penser que mon mal était entre les deux oreilles, et pourtant, c'était vrai. Le soir du 28 janvier, je fermai les yeux et je me vis au Beverly Hilton, noeud papillon, smoking, boutons de manchettes, à cette table de la presse étrangère où maintenant tous me connaissaient. Je voyais défiler en rêve des vedettes que j'arrêtais au passage et j'imaginais Lina en train de nous poser en coupant têtes ou mentons. Je me revoyais ensuite pour telle maison d'artiste en empruntant Lauren Canyon pour grimper jusque sur la colline... et je tombai endormi sur ma triste rêverie. Le lendemain, je n'ouvris même pas un journal pour savoir qui avait gagné un trophée. Lina voulut me raconter la soirée et je la priai de n'en rien faire. Je ne voulais pas savoir qui j'aurais pu obtenir en entrevue. Je voulais vite tourner la page, refermer ce vilain chapitre de ma vie et recouvrer ma santé au point de ne plus jamais manquer un seul voyage à Hollywood. En 1984, l'euphorie a pris place sans moi, mais je me suis juré de toutes mes forces que c'était «sans moi»... pour la dernière fois! Et j'allais tenir parole.

UNE ÎLE FANTASTIQUE...
ET JOHN JAMES

C'est curieux, j'ai vieilli d'un an et je me sens plus jeune que jamais. Mon cauchemar côté santé est derrière moi, je ne fume plus, et j'ai réussi, non à surmonter, mais «déjouer» mes émotions. Nous sommes le 24 janvier 1985... et ça y est! Je monte à bord du gros Lockheed de Air Canada qui m'amènera à Hollywood à travers les nuages. Je ne voulais aucune entrave cette fois et je n'ai pas eu à en faire mon deuil tout comme l'année dernière. Ma carrière «américaine» était loin d'être terminée. Avant de partir, j'avais déposé toutes mes énergies dans un coffret de sûreté pour ne les reprendre qu'au moment où je serais entre ciel et terre. Et me voilà une fois de plus en Californie humant l'air frais de janvier et regardant les palmiers majestueux m'accueillir en guise de bienvenue. Lina était très heureuse de mon arrivée et rendu à la chambre 310 de mon hôtel, c'est le premier appel que j'ai placé. Toute joyeuse de m'entendre au bout du fil, elle est vite venue me rejoindre et nous avons soupé au Silver Screen, le restaurant de l'hôtel qui s'appelait autrefois «Le Daisy». Le «bell boy» était encore là, attendant toujours sa chance et je fis la connaissance de nouveaux serveurs et serveuses... qui étaient, encore une fois, tous des acteurs! J'eus droit à tous «leurs espoirs», tout comme ceux de Mitch, jadis. Lina me confia que la cérémonie des Golden Globe Awards de 1985 s'annonçait pour être l'une des plus belles. J'avais bien hâte d'y assister et foncer ne me semblait pas un effort cette fois, d'autant plus que deux années s'étaient écoulées et que j'avais eu le temps d'oublier toutes les phases douloureuses des appels téléphoniques, des messages, etc., un peu comme une jeune mère qui a juré de ne plus avoir d'enfant après le premier et qui finit par se retrouver avec trois autres, quelques années plus tard. J'avais déjà établi des contacts et le vendredi soir, un publiciste me téléphona pour me dire que Peter Reckell, l'interprète de «Beau» dans «Days Of Our Lives», allait être à mon hôtel le lendemain à une heure précise. Un samedi? Voilà qui était inusité, mais comme je l'ai déjà dit, il y a des vedettes de «soaps» qui ne reculent devant rien... pour avancer. J'avais eu beaucoup de demandes de la part de jeunes filles pour que je rencontre ce «macho barbu» pour une entrevue. Elles en étaient folles et j'avais même écouté une émission ou deux pour mieux le situer. Je me rappelle d'une certaine Rub, une jeune et jolie Égyptienne qui ne jurait que par lui. Encore aujourd'hui, mariée et mère d'un enfant, Peter Reckell fait partie de ses rêves les plus troublants!

Il est arrivé ponctuellement avec sa publiciste, Julie. Vêtu d'un «jean» avec mouchoir pendant dans sa poche arrière et t-shirt moulant, «Beau», comme les filles l'appellent, avait tout du véritable «macho»... du moins, physiquement. Barbu, cheveux épais et en broussailles, dents blanches, yeux noirs, il avait ce nouveau look dont les femmes raffolaient. Le genre bûcheron qu'on amène dans la grange. Vous voyez ce que je veux dire? Nous étions loin d'un Robert Redford ou d'un Robert Wagner. Viril au plus haut point, (du moins d'allure) Peter Reckell accepta une eau Perrier... pas d'alcool pour lui. Très gentil, conscient de sa popularité, il n'en abusait pas et gardait au fond de lui une certaine modestie qui me le rendait encore plus sympathique. Il savait qu'il était un tombeur de femmes et faisait tout pour devenir, dans l'émission, un romantique du Moyen-Âge. J'eus beaucoup de plaisir en sa compagnie et il fut agréable du début à la fin, se prêtant aux photos de Lina qui trouvait que les hommes étaient plus faciles à travailler que les femmes... et elle n'avait pas tort. C'était toujours moins compliqué avec un acteur qu'avec une actrice. Il n'était pas question de coiffure et de maquillage et il n'y avait aucun caprice de leur part. Moi, je me débrouillais quand même fort bien avec les femmes, mais mon Dieu que Lina n'était pas chanceuse. Peter Reckell s'apprêtait à partir, une fois l'entrevue terminée, et je pus remarquer qu'il avait un physique à rivaliser avec plusieurs «muscle men» de la région. Il aurait fait, et je l'affirme, le plus merveilleux «amant de Lady Chatterley» à l'écran. Sa publiciste, Julie, avait pour sa part les plus beaux yeux verts de la terre. Je n'ai jamais vu un tel vert. On aurait dit la mer après un orage. Très heureux de notre entretien, Peter me laissa quelques diapos (très avantageuses pour lui) me demandant s'il pouvait espérer quelques posters dans mon magazine. Ce que je fis cinq fois pour le bonheur des petites filles. J'ai gardé un excellent souvenir de ce garçon et je suis désolé de voir que malgré tous ses efforts, il n'ait pu aller plus loin que son émission jusqu'à maintenant.

C'est la soirée des trophées et veut veut pas, je sens déjà un stress s'emparer de moi. Qu'importe, j'y suis habitué, non? Je suis à l'hôtel où la fête se produit et, en descendant à la salle des hommes, je croise, assis sur un divan et se tenant la tête à deux mains, nul autre que Dick Clark. Très gentleman, je lui demande s'il est souffrant et il m'avoue avoir le plus terrible mal de tête de sa vie. Comme j'ai toujours sur moi de l'Aspirine, il en accepte deux en me disant: «Vous êtes mon sauveur, j'en cherche partout et ma femme est partie pour en trouver». Il me consacre de ce pas un bon petit vingt minutes d'entrevue et trouve même la force de sourire pour les besoins de Lina. Sa femme revint et il me la présenta en lui disant qu'il avait rencontré «son médecin» tout à fait par hasard. Je n'osai trop l'importuner, car il avait beaucoup à faire puisqu'il produisait le spectacle que nous allions voir. Sa femme causa avec moi... de lui, de leur amour, de leur union, de leurs ambitions, de leur première rencontre, et elle me remit une épaisse documentation sur Dick. Quand il revint la chercher vingt minutes plus tard, il me tendit la main, me souhaita un bon séjour et partit avec elle. Madame Clark, très belle ce soir-là, me tapa un clin d'œil amical et me lança: «Oh! j'oubliais, merci encore pour l'Aspirine!»

Comme elle allait être mouvementée cette soirée! Pour un come back», c'en était tout un et je ne pensais jamais réaliser autant d'entrevues express en une seule soirée. Il va me falloir abréger la description de certaines rencontres, sinon ce livre deviendra... un dictionnaire!

Au départ, je revis Chris Atkins qui cette fois n'était pas bouclé. Il faut dire qu'il avait fait sa marque depuis «Le Lagon Bleu». Ayant joué dans «Dallas» le rôle du jeune amant de Linda Gray, en plus d'avoir incarné à l'écran un danseur nu, Atkins était maintenant la proie des femmes d'âge mûr et c'est sans doute pourquoi il a vite pris épouse. Ravi de me revoir, notre entretien fut bref car j'avais beaucoup d'autres chats à fouetter. Les amateurs de l'émission «Solid Gold» connaissent sans aucun doute Marilyn McCoo qui en est l'animatrice. Comme elle est gentille cette fille et comme elle a de la classe. Quand Lina me la présenta, c'est avec empressement qu'elle accepta de s'asseoir avec moi. Elle me parla de sa carrière et de sa grande nervosité à chanter le soir même «Against All Odds» qui était l'une des chansons en nomination. Malgré tous ses efforts, elle ne fit pas gagner l'auteur puisque la chanson, «I Just Called to Say I Love You» de Stevie Wonder, décrocha le trophée de la chanson de l'année. Marilyn me revit après la soirée et me lança en riant: «Comme vous voyez, je ne fais pas toujours du «Solid Gold!»

Les hôtes de la soirée étaient Michael York et Raquel Welch. Quelle beauté que cette femme! Dans une robe décolletée noire très étroite et sans aucun bijou, la sculpturale actrice fit taire l'assistance par sa seule présence. Tous étaient muets d'admiration devant elle et Joan Collins, qui se trouvait là, faisait piètre figure à côté d'elle. Je n'eus pas la chance de l'interviewer et ça m'a déçu, mais personne n'eut cette chance puisqu'elle arriva et disparut par une porte de service aussitôt la soirée terminée. Par contre, j'eus le grand plaisir de m'entretenir avec Michael York qui, à mon humble avis, est l'acteur qui m'a le plus impressionné à date. Vedette du film «Au nom de tous les miens», dans lequel il incarnait Martin Gray, il y fut remarquable. Que de classe, que de dignité chez cet homme dont l'Angleterre peut être fière. Accompagné de son épouse, Michael York eut tous les égards possible à mon endroit et j'aurais volontiers passé une soirée entière avec lui.

Sans être beau avec son nez cassé, il est un véritable séducteur et ses yeux sont vraiment le reflet de son âme. Rempli de délicatesse et de savoir-vivre, j'ai aussi adoré son accent qui se veut d'un «british» impeccable. Oui, je le répète, Michael York est l'acteur qui m'a le plus impressionné même si notre rencontre n'a été que de la durée de vie d'une rose blanche à tige coupée au soleil. Je n'oublierai jamais ces merveilleux moments.

Je n'ai pas encore rangé ma plume que je voie une gigantesque femme d'au moins 6 pieds 2 pouces s'avancer dans une majestueuse robe noire. D'ailleurs, le noir était à l'honneur ce soir-là car plus de dix actrices étaient apparues à date dans cette teinte. Tous les «flashes» sont braqués sur la nouvelle venue et je m'avance un peu plus pour reconnaître Lynda Carter, la très célèbre «Wonder Woman», qui a vraiment tout du physique de l'emploi! Portant chignon et talons hauts d'au moins quatre pouces, elle est encore plus grande et ça semble voulu, ne serait-ce que pour dominer l'assistance. Elle est jolie, mais ne fait pas tomber à la renverse. Lynda Carter a un visage qu'on peut voir un peu partout dans chaque pays, rien de spécial, des traits communs. C'est le genre de fille qui ne doit pas être belle à voir en se levant le matin. Somme toute, elle ne m'impressionna pas et l'entrevue qu'elle m'accorda n'était pas ce que j'avais de plus fameux à rapporter dans mes bagages. Se plaignant de son complexe de grandeur alors qu'elle était adolescente, je vous jure qu'elle l'avait enfoui depuis. Aimable, pas plus ni moins. Comme nous étions debouts pour la photo, (ce qui était le plus drôle) Lina faisait tout son possible pour nous prendre tous les deux de ses 4'10 pouces avec talons hauts. Elle coupa Lynda juste au dessous du buste et comme ma tête arrivait juste là... on aurait dit un nourrisson au biberon!

De «Wonder Woman», je suis face à face avec une perle de jeune femme appelée Mary Crosby. Fille du célèbre crooner Bing Crosby, Mary m'avoua qu'elle n'avait jamais pensé être actrice un jour. Très connue grâce à son rôle dans «Dallas», elle portait elle aussi une robe noire, mais ouverte sur le côté jusqu'à la cuisse, ce qui lui donnait un «sex-appeal» épouvantable. Avec le corps de déesse qu'elle avait, inutile de vous dire que plusieurs mâles (les vrais) étaient aux aguets. Elle était arrivée vêtue d'un manteau en espèce de poil de singe et se voulait assez spéciale comme femme. Je pus m'entretenir assez longuement avec elle et je lui parlai de son défunt père dont j'avais vu tous les films, «White Christmas» inclus. Seule fille de la famille, elle n'en avait pas perdu sa féminité pour autant. Tout est beau chez Mary Crosby, des cheveux jusqu'aux pieds... sauf sa bouche. La lèvre supérieure n'est pas découpée et une légère marque laisse supposer qu'elle a pu avoir un bec de lièvre étant jeune, qu'on a sans doute opéré. Remarquez que je n'étais pas pour lui poser pareille question et si personne ne l'a encore fait, c'est sans doute par respect. Mary Crosby a été aussi charmante que ravissante et j'ai admiré la douce simplicité qui se dégageait d'elle. Ce qui prouve qu'on peut être soi... même quand on est la fille de Bing Crosby.

Le prochain ne devait pas me plaire plus qu'il ne faut. Quand Lina, qui tâtait le terrain de son bord, m'apprit que George Peppard était disponible, j'en ai d'abord été ravi. Il était là avec sa nouvelle femme et même s'il a assez belle apparence avec ses cheveux gris, il était de glace. Héros de la série « The A-Team », je me rappelais surtout de lui dans son film « Breakfeast at Tiffany » avec Audrey Hepburn. Pour moi, Peppard était un monstre du cinéma, pas du petit écran. Après avoir passablement bu, c'est un retour qu'il effectuait et il avait une fois de plus gagné tous les cœurs. On causa bien sûr de ses films, mais il me ramenait sans cesse à sa série comme si son passé lui faisait prendre un coup de vieux. Pourtant, à 56 ans, George Peppard était encore très séduisant. L'entrevue se déroula tant bien que mal et sans le moindre sourire de sa part. Même au moment de la photo, Lina ne put le convaincre et il esquissa une sorte de petit sourire qui ressembla à une grimace. On aurait dit qu'il avait peur que le visage lui tombe en ruines! Heureux de le compter dans ma galerie d'artistes, je le quittai sans regret et je constatai que plusieurs acteurs le côtoyaient en faisant mine de ne pas le voir. Après tout ce qu'il a fait endurer à la vedette féminine de « The A-Team », ce qui occasionna sa démission, je pense que George Peppard n'était pas trop aimé des autres actrices. Ce n'est pourtant pas ça qui a empêché les femmes d'un certain âge de crier après lui comme des petites filles en agitant des bouts de papier... qu'il ne signait même pas!

Il ne faudrait pas vous imaginer que parce qu'on est journaliste et qu'on vient du Québec, que tout le monde nous saute dans les bras. On obtient les entrevues qu'on peut et pas toujours celles qu'on veut. Il nous arrive même d'essuyer des refus et ce, parfois carrément. Lors de soirées de gala de la sorte, même en faisant partie de la presse étrangère, la porte n'est pas toujours facile. Je vous parle sans arrêt de mes succès obtenus, mais il y a aussi des échecs. Lors d'un récent voyage, Marc Singer de « V » n'a pas voulu me recevoir et il y a deux ou trois ans, Arnold Schwarzenegger n'a pas voulu m'accorder d'entrevue à moins que je signe une entente avec lui pour qu'il obtienne une première page et que je ne dise pas qu'il avait été « Monsieur Univers ». À ce moment, il n'était que « Conan, le barbare » et j'ai dit à sa publiciste d'aller au diable, qu'on ne n'imposait rien de la sorte. Le plus cocasse, c'est lorsque j'ai voulu interviewer Dorothy Lamour. J'en rêvais parce qu'elle était pour moi une idole de jeunesse. Je contacte son publiciste, un dénommé Frank, lui disant que je serais ravi de rendre hommage à sa cliente dans mes pages. Je savais qu'elle ne faisait plus rien, qu'elle était ce qu'on appelle là-bas une «has been» et je croyais que l'idée allait lui plaire. Elle fut plus que ravie de ma demande, si ravie que son publiciste m'appela pour me dire que Miss Lamour acceptait moyennant un cachet de $200. négociable... à $150. ! Imaginez, Dorothy se faisait payer pour accorder une entrevue. Je lui rétorquai poliment que c'était peut-être moi qu'on devrait payer pour lui accorder deux de mes pages et je le priai d'oublier l'affaire. Pas surprenant qu'on ne lise rien sur elle même quand elle figure dans «Love Boat». Cette année, j'ai rencontré, à Hollywood, un ami intime de Dorothy Lamour. Figurez-vous donc qu'elle m'a téléphoné elle-même à mon hôtel pour me dire qu'elle serait ravie de me rencontrer. C'était la veille de mon départ et je ne pus que lui promettre de la rappeler l'an prochain, ce que je ferai sûrement. Avec les ans, tout change à Hollywood... et les «anciennes» le comprennent !

Lors des galas, c'est différent et ce sont parfois les publicistes qui nous mettent les bâtons dans les roues. On ne les accroche pas tous comme ça par la manche ou le veston. Je me souviens d'un certain gala où j'ai abordé Victoria Principal et avant même que je me présente, son gérant, qui la suivait, s'avance et me tend sa carte en me disant : «Si c'est pour une entrevue, voici le nom et le numéro de son publiciste !» Prenant Victoria par le bras, il l'entraîna loin des plumes et des micros. Ce soir-là, je vis venir vers moi Jane Fonda entourée de gardes du corps, d'amis, bref, elle entrait en grande pompe avec l'air arrogant qu'on lui connaît. Lina me prévint en me disant : «Oh ! celle-là, quelle garce !» Elle ajouta : «Personne ne l'aime ici et moi, je ne ferai pas un pas vers elle.» Je m'avance quand même, me présente et elle m'écoute. Je lui mens en lui disant que je ne suis là que pour la soirée, mais je lui dis que je suis du Québec et la conversation se déroule en français. L'ex-femme de Vadim, la fille du regretté Henry, la révolutionnaire amie de Vanessa Redgrave, m'écoute le plus sérieusement du monde sans aucun sourire et quand je lui répète que je ne suis là que pour la soirée et que j'apprécierais une entrevue, aussi courte soit-elle, elle me répond : «Pas ce soir monsieur, un autre jour peut-être !»... quand je venais de lui dire que je repartais le soir-même. Ou elle n'a pas cru mon pieux mensonge ou elle n'est pas brillante. J'ai plutôt l'impression qu'elle n'a rien cru de mon plaidoyer et qu'elle doit en avoir entendu bien d'autres. Je ne peux la blâmer et c'est son droit le plus strict que de refuser, mais un sourire n'aurait pas fait de mal à personne. Tout ça pour vous dire que ce n'est pas toujours «dans le sac» comme on pense et que de tels moments, fort embarrassants lorsque publics, font aussi partie de ce dur métier. Je me disais justement: «Denis, c'est bon pour ton humilité!» quand je vis à deux pas de moi, le frère de Jane... Peter Fonda!

Je vous avoue avoir été hésitant. Après le refus de la sœur, je ne tenais pas à me payer celui du frère. Il avait nettement l'air plus sympathique qu'elle, mais je songeais à ce que je devais faire et je l'examinais de loin. Smoking noir, foulard blanc autour du cou, il battait des mains tout en suivant des yeux le jeune chanteur Alfonso Riberio qui interprétait «Ghostbusters». Peter Fonda avait l'allure d'un adolescent qui vient de fumer son petit joint. Le héros de «Easy Riders» était là pour présenter un trophée à un artiste. Je l'approchai et c'est avec un «Sure, why not» qu'il accepta de me suivre dans un autre salon. Très gentil, très volubile et sourire constant, il m'accorda une belle entrevue en me parlant de tout ce qui lui arrivait dans la vie. Il avait sûrement le caractère de sa mère, car son père, Henry Fonda, était réputé pour avoir beaucoup de tempérament, ce dont Jane avait sans doute hérité. Toujours est-il que l'un racheta l'autre et qu'à mes yeux, l'honneur de la famille était sauvé. Peter m'avait fait oublier Jane qui, chose étrange, passait devant lui sans même s'arrêter ou le regarder. Lina me fit un clin d'œil complice en voulant dire: «Vous en avez du culot, vous!» Le refus de Jane Fonda était sans doute le coup de pied au derrière qu'il me fallait ce soir-là pour aller chercher tout le monde. Je n'ai jamais eu tant d'audace que lors de ce gala, n'en déplaise à l'ex-madame Vadim!

Je me rends au bar afin d'étancher ma soif et Lina me suit. Tout ce monde, la fumée de cigarettes et surtout celle des cigares, c'était assez pour nous polluer plus que les poumons. Je n'avais plus de salive et une bonne bière Michelob me remit vite d'aplomb. Tiens! mais il y a du très beau monde au bar et c'est ainsi que d'un «Excuse me» à «I'm sorry», je bousculai tout le monde pour m'approcher de Faye Dunaway. «Quelle belle femme et quel charme» me suis-je dit. Elle me rappelait tout le mystère d'une Marlene Dietrich avec le talent d'une Katherine Hepburn. Je m'en approchai, sûr d'avoir affaire à une dame hautaine et très fière dans ses apparats. Je m'imaginais une Grace De Monaco devant qui on s'incline et je fus surpris de la voir, un verre à la main, plus excitée qu'une couventine. Je ne sais pas si c'est par besoin de rester jeune ou par peur de vieillir, mais Faye Dunaway, la grande dame du cinéma, était plus agitée que la petite fille de «Fame». Surpris, un peu déçu, son attitude allait par contre me faciliter la tâche, car le trac que je ressentais face à cette entrevue venait de s'estomper d'un coup sec. Elle fut charmante, désopilante, me posa aussi plusieurs questions et prenant un autre verre, elle accepta de prendre des photos avec des allures assez bizarres... que Lina ne put capter tellement on nous bousculait. Je respecte toujours Faye Dunaway pour ce qu'elle est, mais je vous assure que le respect dû à la personnalité imposante que je lui prêtais n'existe plus. Faye Dunaway, un grand nom, un immense talent si on pense à « Evita » et « Mommie Dearest », etc., mais une fille bien ordinaire qui n'aura jamais, mais jamais, l'image et le charisme d'une Ingrid Bergman !

C'est ce même soir que je vis entrer ensemble Liza Minnelli et Rock Hudson. Il était là, à deux pieds de moi et je me rappelle l'avoir trouvé très maigre et surtout très vieux pour ses 58 ans. Tous ignoraient à ce moment que Rock Hudson était atteint du sida. J'aurais aimé l'avoir en entrevue, mais je fus incapable de l'approcher tellement la foule était dense. Rock Hudson n'avait pas le sourire facile et semblait fuir les médias comme la peste... et pour cause, quand on pense à tout ce qui s'ensuivit. Il savait sans doute ce qu'allait être sa vie dès qu'ils apprendraient... et Dieu sait qu'il n'a pas été épargné. J'eus donc la chance de le voir en personne avant qu'il ne meure un an plus tard du terrible mal qui le rongeait déjà. J'ai aussi tenté, avec Lina, d'obtenir une entrevue de Liza Minelli, mais la fille de la regrettée Judy Garland nous a carrément refusé et ce, sur un ton qui était loin d'être celui qu'elle prend quand il s'agit de vendre ses billets pour ses spectacles à la Place des Arts. De toutes façons, je n'ai jamais été un fervent de Liza Minnelli et je l'imaginais telle qu'elle était. Lina avait été déroutée par le « not interested » qu'elle lui adressa... mais je la rassurai et lui fit comprendre que dans ce métier, il nous fallait bien souvent piller sur notre orgueil. Et au diable... la Minnelli !

Lui, je l'ai trouvé fin, lui, je l'ai trouvé sympathique. Je parle ici de Andrew Stevens qu'on a connu dans « Code Red » et plusieurs autres films et séries. Il s'est prêté à nous avec une gentillesse remarquable comme si nous lui faisions une faveur. Très beau garçon (selon Lina), il répendait sourires et mots aimables à toutes les femmes qui s'en approchaient. Peu avare de son temps, il signait des autographes et m'accorda presque trente minutes d'entrevue en me parlant de sa mère, Stella Stevens, de son ex-femme, Kate Jackson, de ses amis, de ses projets, et tout ça, en plein milieu du gala. J'aurais préféré le rencontrer chez lui car il avait tant de choses à dire, mais en voilà un, et je vous le jure... qui m'en a fait oublier bien d'autres.

Je n'en voyais plus la fin. Il y avait tellement de vedettes et notre affaire marchait rondement bien. C'était maintenant au tour de Kate Jackson (quelle coïncidence), la vedette de « Les deux font la paire », qui causait maintenant avec moi en toute simplicité. Grande, ni belle ni laide, Kate Jackson a le seul défaut d'être trop maigre. Je n'aime pas voir les os d'une personne et tout comme Audrey Hepburn, c'est aussi son cas. Elle me parla de sa famille, de son enfance et je la trouvai fort plaisante... même si elle n'osa me dire un seul mot sur Andrew

Stevens. Je dus cependant écourter mon entretien car Lina était là qui me tirait sur la manche pour que je rencontre Angela Lansbury, vedette de « Murder she Wrote », qui m'attendait en souriant. Voilà ce que j'appelle une situation énervante. Le temps de remercier Kate Jackson, de lui tendre la main et je me retrouvais à serrer celle de Angela Lansbury deux secondes plus tard. Je ne l'ai jamais trouvée belle cette actrice et ce n'est pas le fait de prendre de l'âge qui ajoute à son charme. Elle a des yeux globuleux et se veut dans la vie aussi énervante et aussi distraite que dans sa série. La première fois que je l'avais vue dans un film, c'était il y a longtemps, alors qu'elle avait un second rôle dans « Samson et Dalilah ». À côté de la splendide Hedy Lamarr, Angela Lansbury était très fade et n'avait rien ajouté au film qui aurait obtenu un franc succès même sans elle. Depuis, elle ne s'est pas embellie. Vous dire que mon entrevue a été du tonnerre serait mentir. Elle répondait certes à tout... mais en regardant partout. Son mari semblait impatient et c'est avec élégance que je mis un terme à cet entretien sans valeur. Angela Lansbury avait les yeux partout, de gros yeux, tout comme ceux d'un hibou, ce qui ne l'empêcha pas de gagner ce soir-là le trophée de la meilleure actrice de la télévision.

Mon prochain invité, je ne le connaissais même pas et c'est Lina qui me raconta brièvement son histoire pour que je n'aie pas l'air trop idiot en entrevue avec lui. Il s'agissait du Docteur Haing S. Ngor qui avait joué un très bon rôle dans « The Killing Fields », un film basé sur un fait vécu. Le Dr Ngor n'était pas un acteur et c'était là une première expérience pour lui. Il tenait davantage à rester dans la médecine, mais il avait accepté de personnifier le véritable héros par solidarité pour son pays, le Cambodge. Il me parla avec véhémence de cette guerre maudite et de toutes les horreurs vécues par son peuple. Quand il fut acclamé meilleur acteur de soutien, il monta sur scène et, au lieu de remercier rapidement, il s'empara du micro et livra un plaidoyer d'au moins quinze minutes en faveur de son pays et des siens. Les réalisateurs s'arrachaient les cheveux et malgré les signes désespérés du régisseur, le Dr Ngor poursuivait son vibrant appel. Comme l'émission n'était pas en direct, tout ce qu'on put entendre le lendemain soir fut : « Au nom de mon peuple... merci beaucoup ! » Le Dr Ngor a dû être en furie de ne pas avoir pu passer son message à travers les continents. Il m'avait dit qu'il ne faisait que ce film et qu'il reprenait sa médecine. Je ne sais trop si « la piqûre » fut trop forte, mais j'ai lu dernièrement qu'il s'apprêtait à tourner un autre film. Les dollars auront eu raison de sa noble mission.

Là, c'est toute une surprise qui m'attendait. J'avais demandé à Lina : « Mais qui donc est cette femme qu'on photographie ainsi ? » et elle me répondit : « Mais, c'est Gina Lollobrigida, Denis ! » Je vous jure que je ne l'aurais jamais reconnue avec ses cheveux longs et sa taille de guêpe. Je la regardai de près et son nez carré et retroussé me la situa beaucoup mieux. Je m'arrangeai pour la rencontrer car elle venait tout juste de débuter dans la série «Falcon Crest», ce qui ne m'impressionna guère pour une actrice au nom si prestigieux. Comme plusieurs autres, elle en était rendue aux séries. Bien payée? Sûrement, mais valorisant, pas du tout. Je la revois encore dans «Le Bossu de Notre-Dame» avec Anthony Quinn, mais avec le recul, je me rends compte, à bien y penser, que Gina Lollobrigida n'était pas bourrée de talent. Elle était arrivée juste au bon moment avec un nom que les Américains avaient du mal à prononcer. C'est pourquoi elle devint «Lollo» pour eux, grâce à Bob Hope. Passionnée par la photographie, Gina avait délaissé le cinéma pour l'œil de la caméra et ses photos se vendirent à gros prix, c'est bien pour dire! Très distante parce que timide, Gina Lollobrigida n'est pas facile à interviewer et répond évasiment quand ce n'est pas par un oui, un non ou un peut-être. Avec son accent, j'avais parfois peine à la suivre et Gina est de plus une personne qui ne regarde pas les gens dans les yeux, ce qui n'aide en rien. Très bien vêtue, elle n'avait pas cependant ce «glamor» qui fait qu'on se retourne sur son passage. De toutes façons, Raquel Welch avait déjà volé le show comme on dit. Elle fut gentille mais demeura discrète et timide. Elle me remercia chaleureusement et je pris congé d'elle. C'est drôle, mais la star adulée de l'Italie ne m'avait pas impressionné. Je n'ai senti aucune tension, aucune nervosité, et dans ma vie, une entrevue avec Gina Lollobrigida n'aura rien bouleversé. Il y a des gens comme ça, qui ont, sans le savoir, le don... de laisser les autres indifférents!

Et «clic», Lina venait de me prendre en photo avec Ted Danson et ses 6 pieds 4 pouces. Je me demandais bien qui allait être décapité et ce fut moi... encore une fois. Il n'était pas facile de faire un bon travail avec cette foule qui vous pousse dans le dos. Lina faisait de son mieux, mais il y en avait toujours un de plus grand qu'elle qui se plaçait juste devant, ce qui la faisait crier de rage. Vedette de «Cheers», Ted Danson jouissait d'une forte cote d'amour et ses admiratrices étaient nombreuses sur son passage. Je l'ai trouvé bien correct... mais pas beau du tout. Visage long et carré, yeux sans expression (il louche en plus) il n'avait rien d'un Clark Gable. Athlétique (ils ont tous joué au football), Ted Danson n'échappait pas à la règle. Je fis mon entrevue avec lui, le remerciai ainsi que son épouse et je le quittai... car il y avait là quelqu'un que je ne voulais pas manquer.

Kathleen Turner venait de remporter le trophée pour son rôle dans «Romancing the Stones» et Mike Douglas l'applaudissait à tout rompre. C'est avec la voix éteinte par une terrible laryngite qu'elle vint remercier l'assistance. Je m'en voulais de la mettre ainsi à l'épreuve avec cette voix éraillée, mais elle accepta de me causer en s'excusant «du mauvais ton» de la conversation tout en riant de bon cœur. Grande, très jolie, elle n'était pas élégante cependant et n'avait pas le don de mettre ses charmes en valeur. Coiffure à chignon, robe de velours noir jusqu'au cou avec un collier de perles comme parure, Kathleen Turner avait l'aspect «vieille fille» d'autrefois et non celui d'une «movie star». On critiquait sa toilette et surtout son allure, car sa démarche n'était pas féminine. Kathleen Turner, qui n'a aucun lien de parenté avec Lana Turner, semblait se foutre de tout ce qu'on disait d'elle dans son dos. Elle en était à ses débuts et avait déjà un trophée entre les mains. Depuis, elle a fait beaucoup de chemin, mais elle n'a jamais oublié qu'elle devait sa chance à Mike Douglas qui en a fait une véritable célébrité.

Le film «Carmen», produit en France, était en nomination dans la catégorie des meilleurs films étrangers, mais c'est «A Passage to India», réalisé en Angleterre, qui remporta la palme. Julia Migenes-Johnson, la célèbre cantatrice du film, était sur scène et je la voulais à tout prix en entrevue. Croyez-le ou non, quand elle a vu que son film n'avait pas gagné, elle a tout simplement quitté par une porte de service. Ce sont des portiers qui m'ont rapporté ce fait. «Qu'elle aille au diable!» me suis-je dit et je n'ai pas eu le temps d'être déçu puisque Lina s'amenait avec nul autre que Jeff Bridges, l'un de mes acteurs préférés.

Jeff Bridges avait obtenu un fulgurant succès avec le film «Starman» et devait en obtenir un autre un an plus tard avec «Jagged Edge» que j'ai vu à trois reprises. Fils de l'acteur Loyd Bridges, frère de Beau Bridges et d'un autre frère également acteur, Jeff Bridges est, à mon humble avis, le plus talentueux et le plus séduisant de cette noble famille. Ce soir-là, il avait les cheveux lisses et huileux, ce qui lui donnait un «look» à la Valentino. Accompagné d'une très belle femme, je le trouvai sympathique au premier regard et lui avouai à quel point j'avais aimé «Starman». Jeff Bridges a de petits yeux gris, mais un regard à faire pâmer bien des femmes. Je n'avais qu'à juger par la foule en délire pour en être convaincu. Il était en nomination au titre de meilleur acteur de l'année, mais ne gagna pas. Souriant, très à l'aise malgré la défaite, il m'avait avoué que le seul fait d'être en nomination était déjà un grand honneur. Jeff Bridges m'a parlé de ses frères et du succès de son père. Pour moi, ce fut une belle rencontre parce que je le répète, il est en tête de liste des acteurs que je préfère.

D'une poignée de main, j'en donnai une autre à Tom Hulce, le merveilleux interprète de Mozart du film «Amadeus». Il était ravi que j'aie aimé le film et encore plus content que je lui rappelle à quel point ses éclats de rire avaient ajouté du piquant. C'est d'ailleurs Murray

Abraham qui remporta le titre du meilleur acteur pour son rôle de Salieri dans le film et le film lui-même, «Amadeus», fut proclamé le film de l'année. Tom Hulce n'avait rien gagné personnellement et je le déplorais. Il avait été si prodigieux. Il ne s'en fit pas, me parla, ria de bon cœur et je quittai un «Amadeus» qui m'avait rendu inconditionnel de Mozart.

J'étais littéralement vidé et j'avouai à Lina que je n'en pouvais plus, qu'il me fallait arrêter. J'étais comme un robot qu'on met en marche et dont on change les piles à toutes les heures. C'était bien beau tout ce travail, mais je savais que d'autres entrevues allaient suivre les jours d'après et j'étais déjà épuisé rien qu'à y penser. J'ai toujours eu une sainte horreur des foules et des soirées de ce genre. C'était donc pour moi un dur calvaire à traverser. Je voulais m'arrêter là, avec Tom Hulce, quand Lina me dit: «Voyez qui s'amène dans votre direction?» Je me retourne et je suis face à face avec Sally Field. Comment résister à la petite «Sœur Volante» de jadis. Elle avait déjà remporté un oscar pour son film «Norma Rae» et ce soir-là, en nomination pour la meilleure actrice, elle allait décrocher le grand trophée pour son film «Places in the Heart». Toute menue, très gentille et simple au possible, Sally Field a eu le don de me mettre à l'aise en deux secondes. Contrairement aux actrices très «vamps» qui se trouvaient là à rivaliser entre elles dans leurs robes noires garnies de pierreries, Sally Field était vêtue d'une robe courte rouge vif et montée jusqu'au cou. Le genre de petite robe qu'on porte pour aller au restaurant, rien d'extravagant. Cette tenue allait de pair avec sa douce simplicité et elle se foutait bien de ne pas être sensuelle. Elle savait qu'elle n'avait rien pour l'être, mais n'était-elle pas celle qui remportait tous les trophées? C'est debout à l'ovationner que les stars l'ont reconnue comme la plus grande... quoique petite. J'ai adoré Sally Field, j'ai aimé son sourire, son respect, sa dignité et sa confiance. Mon Dieu qu'il est donc vrai que les plus grands sont les plus humbles.

Ma prochaine rencontre allait être la dernière de la soirée, mais non la moindre. Ce fut pour moi «le clou de l'événement» que de me retrouver en tête-à-tête avec nulle autre que Elizabeth Taylor. Comme elle était belle ce soir-là! Tous les yeux étaient rivés sur elle et je comprenais pourquoi elle avait fait son entrée la dernière. Dehors, nous entendions déjà des cris hystériques et je me demandais: «Mais qui donc suscite un tel volcan?» C'était Elizabeth Taylor, escortée de gardes du corps, de managers, de publicistes, bref, de toute une armée. Des journalistes tentaient de l'approcher mais en vain. Du premier au dernier, ils étaient tous repoussés par les costauds qui veillaient à sa sécurité. J'attendis qu'elle franchisse le hall d'entrée, je pris mon courage à deux mains, m'avançai jusqu'à elle et lui déclarai fortement:

«Madame, nous vous aimons beaucoup à Montréal!» Je lui avais lancé cette phrase en français, ce qui me valut un regard droit dans les yeux, le plus merveilleux des sourires et quand ses gardes voulurent m'évincer poliment, elle leur dit: «Non, laissez.» Je savais que je n'aurais pas une heure avec elle, mais aussi brève que serait l'entrevue, j'étais un privilégié. C'était déjà ça de pris comme on dit... et pas avec n'importe qui. Elizabeth me parla donc de Montréal où elle s'était déjà mariée et me regardant tout bonnement, elle me dit: «J'aime beaucoup la couleur de votre veston!» Je portais ce soir-là un veston de teinte bourgogne avec nœud papillon assorti. Elizabeth Taylor portait pour sa part une somptueuse robe en velours noir ornée d'aurores boréales et d'appliqués argentés au corsage. Une robe qui fit tomber à la renverse aussi bien Lollo que Joan Collins. Cette robe avait dû coûter, au bas mot, pas moins de $20,000! Elle qui jadis était grosse, malade, bouffie par l'alcool, était ce soir-là mince comme une jouvencelle et sans aucune ride... merci à son chirurgien! Elizabeth était divine et se voulait, parmi toutes ces actrices de la télévision, la dernière légende du cinéma. On défila sur écran l'ensemble de ses films et elle resta impassible, même quand il s'agissait d'extraits avec Richard Burton qu'elle avait tant aimé. Elle était là pour être honorée du trophée Cecil B. De Mille qui était remis chaque année à un artiste pour l'ensemble de sa carrière. Dans le cas de Miss Taylor, on fit appel à sa grande amie Liza Minnelli pour lui rendre le témoignage qui précédait la remise du trophée. Liza, la voix remplie de trémolos et les larmes aux yeux, (ça lui est facile) en profita pour remercier Liz de l'avoir sortie de son alcoolisme. Depuis que Elizabeth avait réglé son propre problème, elle était en voie de régler celui de tous les autres. Je l'ai vue causer avec Rock Hudson au cours de la soirée et Dieu sait comment elle l'a soutenu par la suite alors qu'il était aux prises avec le sida. C'est d'ailleurs elle qui a sensibilisé les États-Unis à ce qu'on appelait «la maladie honteuse» et encore aujourd'hui, Elizabeth Taylor se veut militante dans l'apport pour les recherches sur ce terrible fléau. Très altruiste et n'ayant plus ce caractère violent qu'elle imputait à l'alcool, Liz Taylor se voulait une perle dans un coquillage d'argent. Rencontrer en personne Elizabeth Taylor une fois dans sa vie, s'entretenir avec elle et avoir ses yeux plongés dans les siens, c'est un souvenir intarissable qui ne s'efface jamais. Et c'est à moi, qui enfant rêvait de ce pays, qu'arriva la chance d'en voir la reine. Et en passant, pour toutes celles qui se le demandent encore, non... Elizabeth Taylor n'a pas les yeux mauves! Ils sont d'un bleu merveilleux, un bleu presque vert, juste entre la couleur du ciel et de la mer!

Je me suis couché fourbu, à moitié mort, mais content de mon sort.

Ces soirées ne sont vraiment pas humaines et dire qu'il y a des gens qui pensent que c'est là le bonheur terrestre. Je me suis endormi comme un enfant qui a trop joué, me promettant bien de profiter de la piscine le lendemain et de récupérer de ma rigoureuse soirée. Je me levai assez tard et comme il faisait soleil, je me suis étendu à la piscine du Hyatt où tout le monde parlait des Golden Globe Awards et de l'hommage offert à Elizabeth Taylor. Je retournai à ma chambre vers midi et j'appelai Alison Arngrim qui était ravie de m'entendre et qui me promit de venir le soir-même à mon hôtel pour une entrevue. Elle arriva toute pimpante accompagnée de son père, de son publiciste et d'un jeune homme fort beau qu'elle me présenta comme son ami de cœur. Steve Tracy n'était plus dans sa vie, mais à ce moment-là, il n'était pas encore atteint du sida ou du moins, elle n'en savait rien puisqu'on ne parla pas de lui. Les temps semblaient plus durs pour «Nellie Oleson» de La Petite Maison. Elle se produisait dans des cabarets en faisant du «stand up comedy» et en se servant beaucoup du personnage de «Nellie» pour qu'on la reconnaisse. Elle n'était même plus populaire à Hollywood et si on l'avait acclamée en grande vedette à Montréal, sachez qu'à Los Angeles, elle pouvait se promener sur la rue sans être reconnue. La preuve en est que nous avons pu prendre des photos dans le lobby de l'hôtel sans que personne ne s'arrête à savoir qui était cette petite blonde qui posait comme une «star». Elle avait tourné un film pour la télévision avec Bruce Boxleitner, mais depuis, rien d'autre. Elle me demanda des nouvelles de René Simard et du journaliste Jean Lorrain qui l'avait fait venir au Québec. Je pense qu'elle aurait aimé répéter l'expérience... son père aussi!

Un autre jour s'écoula sans que rien ne se produise. Le drame était que les publicistes n'avaient plus le même troupeau. Par exemple, Charlotte G., qui m'avait dit que lors de ma prochaine visite j'aurais John James et six autres de ses acteurs... ne les avait plus comme clients. Quand je lui demandai qui s'en occupait désormais, elle me répondit ne pas le savoir (petite menteuse) et c'est à force de recherches que je pus apprendre que ses clients étaient éparpillés entre six nouveaux publicistes. Imaginez le fouillis et les coups de téléphone à des nouveaux venus qui me disent «Denis who?... pouvez-vous m'épeler votre nom?» C'est la partie la plus ardue et la plus ingrate à chaque fois, mais qu'y puis-je? Charlotte G. n'avait plus un seul artiste sous contrat, elle qui, depuis trois ans, avait en main la crème de la colonie artistique.

Je reçois un appel d'un agent qui me demande si je suis intéressé à faire une entrevue avec Kari Michaelsen qui jouait le rôle de la plus vieille des filles dans l'émission «Gimme a Break». Heureusement que ce n'était pas avec cette mégère de Nell Carter parce que, honnêtement, j'aurais refusé après ce que j'avais vu d'elle à la porte de l'hôtel lors d'un gala précédent. J'acceptai donc de rencontrer cette jeune actrice de 20 ans même si je ne la connaissais pas. De plus, je ne regardais jamais cette émission «because Nell Carter», ce qui ne m'aida pas lors de mon entrevue. J'arrivai avec Lina au building qu'on m'avait indiqué et dans l'ascenseur, il n'y avait que nous et une petite blonde grassette en mini-jupe. Heureusement que Lina et moi parlions français car nous aurions pu être fort embarrassés. Elle me disait : «J'espère qu'elle n'est pas sotte» et je lui répondais : «Ah! vous savez, avec ces débutantes, il faut s'attendre à tout!» Et la petite blonde de nous sourire et descendre au même étage que nous. Rendus à la porte 506, nous allions nous informer quand la petite blonde, encore derrière nous, nous demande : «Vous êtes ici pour Kari Michaelsen n'est-ce pas?» Croyant avoir affaire à une petite secrétaire, je lui répondis : «Exactement, c'est bien ici?» et la jeune fille de me dire avec un sourire : «Oui, je suis Kari Michaelsen!» Imaginez notre stupeur. Elle ajouta : «Dans l'ascenseur, en vous écoutant parler français, j'étais certaine que vous étiez le journaliste du Québec, mais je n'ai pas voulu vous interrompre.» Intérieurement, je me disais : «S'il avait fallu qu'elle comprenne le français. Ouf! nous l'avons échappé belle.» Kari Michaelsen parlait abondamment, beaucoup trop même, elle en était étourdissante. Comme toute jeune actrice qui vient de décrocher le gros lot grâce à son émission, elle me parla de sa jeunesse, de ses parents, de ses débuts, etc., tout en faisant mine de garder une certaine modestie. Je sentais, par contre, qu'avec les secrétaires et les commis de bureau de son agent, elle était du genre à jouer à la vedette. Elle se trouva tout de même fort aimable et empressée et Lina la trouva sympathique. Physiquement, elle ressemblait beaucoup à Melissa Sue Anderson. Petite, les yeux verts, grassette, Norvégienne d'origine, elle était mignonne, mais ressemblait à un million d'autres petites blondes. C'est sans doute parce qu'elle ressemblait à toutes les jeunes Américaines qu'on l'avait choisie. Avec elle, on était sûr que la jeune génération allait s'identifier au personnage. L'entrevue dura une grosse heure et Kari se montra fort polie y allant de «monsieur» pour moi et «madame» pour Lina. Elle était du genre bien élevée qui vouait un culte remarquable à ses parents. De retour à mon hôtel, j'avais deux cassettes bien remplies sur elle. C'était beaucoup trop, mais c'était mieux... qu'une cassette vierge!

Je m'ennuie davantage cette fois. Seul à Hollywood, ce n'est pas comme d'y être avec des amis. Les Simard n'étaient pas là, ma fille Sylvie n'était pas avec moi, ce qui voulait dire qu'après ma journée de travail, c'était le calme... plat! Lina travaillait avec moi, mais le soir venu, elle se devait de retrouver sa mère et ses enfants. Je connaissais bien quelques personnes, mais pas au point de les appeler, d'autant plus que nous aurions parlé «business» toute la soirée. J'allais donc souper seul (ce dont j'ai horreur) et je visionnais des films. Tout ce que Hollywood pouvait offrir, je l'avais vu et je me sentais devenir peu à peu le vétéran du milieu. Comme je n'avais pas été en forme dernièrement, j'évitais de prendre de l'alcool, ce qui me tenait loin du bar. Comme je venais également de cesser de fumer, je traversais un sevrage qui me rendait nerveux, impatient, et parfois irritable. Je me contenais bien sûr, mais Lina sentait une certaine anxiété m'envahir. Très discrète, elle ne m'en parla jamais.

Le travail chasse l'ennui et, en ce matin du 30 janvier, j'avais un rendez-vous avec John James alias «Jeff Colby» de l'émission «Dynastie». Là, je savais que j'allais rendre un tas de femmes heureuses car depuis des mois, on me le réclamait à grands cris dans mon courrier. J'ai eu assez de misère à obtenir le rendez-vous qui avait été déplacé trois fois à date, mais ce jour-là, Marilyn, sa publiciste, m'assura qu'il serait à son bureau vers 1 heure et de m'y rendre. Lina s'amena avec ses caméras et tout ce qu'il nous fallait et nous nous rendîmes avenue Melrose à quelques minutes de mon hôtel. John James était déjà sur place et nous accueillit avec un très beau sourire. Grand, assez bien de sa personne, genre à jouer au Prince Charmant, il était le «clean cut» dont toutes les mères rêvent pour leur fille. Moi, je ne l'ai pas trouvé laid, pas plus, mais faut dire qu'avec des yeux d'homme, l'impact n'est jamais le même. Lina, pour sa part, le trouva séduisant... mais pas spécialement «sexy». Mon entrevue se déroula assez bien, mais j'oserais dire que ses répliques n'étaient pas toujours brillantes. Dans un sujet en profondeur, John James n'était pas à la hauteur, ce qui fit que mon questionnaire devint beaucoup plus terre à terre pour ne pas dire superficiel. Gentil, aimable, il y avait quelque chose qui m'agaçait et c'était le fait qu'il était assez imbu de lui-même. Un homme sûr de lui, c'est merveilleux. Trop sûr... c'est dangereux. Très en force à cause de «Jeff», John James ne voyait plus la fin de sa popularité... même avec l'expérience d'un Richard Hatch devant les yeux. Très évasif dès que je touchais à sa vie privée, ce n'était pas lui, mais sa publiciste qui sans cesse m'interrompait pour m'amener vers d'autres sujets. Un vrai garde du corps! J'abordai le sujet de l'amour et encore là, je le sentais mal à l'aise et son «gendarme» d'intervenir pour me parler du prochain film qu'il allait tourner. Lina et moi, nous nous regardions en nous posant des questions. Ce qui me frappa le plus chez John James, c'est qu'il avait de très beaux yeux verts empreints de douceur. Tendre, sans doute très sentimental, il gardait cet envers de médaille à l'abri pour ne m'offrir que l'autre, celui de l'acteur qui veut parler de son succès... et de sa plus récente voiture. Je l'ai quitté très amicalement, mais un peu déçu de n'avoir pu percer davantage ses sentiments. Je suis certain que dans un autre contexte, John James en aurait eu beaucoup plus à dire... si seulement «la matronne» n'avait pas retenu fermement les rennes de son poulain!

Il était 5 heures du matin quand je fus réveillé en sursaut par un petit tremblement de terre. Juste assez, par contre, pour que ça réveille tout l'hôtel. Quelques personnes ont paniqué sur leur balcon, mais j'ai gardé mon calme, même si je n'ai pas aimé la sensation d'une terre qui veut s'ouvrir. Le séisme a duré environ une ou deux minutes et tout bougeait dans ma chambre, mon lit inclus. Je me pensais dans le film «L'exorciste». Quelques minutes plus tard, une autre secousse, mais moins intense cette fois et je fus soulagé de constater que tout se calma. N'empêche que j'étais fort heureux, à mon retour à Montréal, de raconter à tous, tel un enfant, que j'avais enfin vécu «mon premier tremblement de terre»!

Ce matin-là, après ma petite peur, je me rendis très tôt au bureau de l'agent de Billy Moses, vedette de «Falcon Crest». Le jeune acteur m'y attendait pour une entrevue. Billy est celui qui joue le rôle du fils dans la populaire émission. Il fut très gentil avec moi et comme il était célibataire, je fis plusieurs plaisanteries allant jusqu'à lui dire que je donnerais son adresse à toutes les filles du Québec, ajoutant qu'il se cherchait une épouse. Billy et moi avons eu beaucoup de plaisir à nous connaître. Sans hésiter, il me parla de l'insécurité du métier, du nombre de vedettes présentes lors d'auditions, de la difficulté à percer, de la compétition sans fin et du coup de chance quand on décrochait un rôle comme le sien. Conscient qu'il pouvait vite retomber dans l'oubli si sa série prenait fin, il tenait, tout comme Dean Butler, ses doigts croisés pour les lendemains et il y allait sagement dans ses dépenses. Il ménageait ses sous et m'avait dit: «Denis, je me marierai le jour où je serai certain d'être en mesure de faire vivre une famille.» Il me parla de son privilège de travailler aux côtés d'une grande actrice comme Jane Wyman et quand vint le moment de partir, il me serra la main en me disant: «Vous m'enverrez cet article, c'est promis?» Sur réponse affirmative de ma part, il ajouta: «Et quand vous reviendrez, téléphonez-moi, nous irons souper tous les deux!» Tiens! à bien y penser, il faudrait bien que je l'appelle un de ces jours. Il était très sérieux, ce Billy.

Il était 10 heures lorsque je le quittai et Lina et moi avions juste eu le temps de nous rendre au Wine Bistrot de l'avenue Ventura où nous attendait Hervé Villechaize, le célèbre nain de «L'Île Fantastique». Nous avions rendez-vous à midi, mais un garçon de table nous avisa que Hervé avait téléphoné et qu'il ne pouvait être avec nous avant une demi-heure. Voilà que Lina était une fois de plus en furie! Elle a toujours eu horreur des retards et je n'ai jamais été capable de la conditionner aux impondérables de la vie. Ce fut l'occasion rêvée pour elle de se payer une autre «crise de Parisienne» avec le ton assez élevé pour que tout le monde l'entende. Elle n'était pas contente, parce que nous devions assister à la première d'un film à deux heures, ce qu'on appelle un «screening» là-bas. Chaque minute comptait pour elle et elle ne cessait de regarder les aiguilles de sa montre. Ce n'est pas trente minutes, mais bien une heure plus tard que le majestueux «Tatoo» s'amena, s'excusant de ne pas avoir pu trouver un taxi avant. Je le crus, parce que, à Hollywood, on ne hèle pas un taxi sur la rue. Ils sont peu nombreux et se tiennent surtout aux portes des grands hôtels. Un certain jour, j'ai attendu 45 minutes à la porte d'un édifice du Sunset Boulevard avant qu'il n'en arrive un. Donc, je comprenais Ville-chaize... mais pas Lina qui resta froide et plutôt acerbe. Elle avait des défauts, ma photographe, mais d'un autre côté, de grandes qualités qui me les faisaient oublier. Hervé Villechaize, haut comme trois pommes, prit place en face de moi et commanda un repas de sa voix nasillarde. Il me semblait l'entendre crier «The plane, the plane» comme au début de chacune de ses émissions. Dans ce restaurant qu'il fréquentait souvent, on le connaissait tellement qu'aucun client ne lui portait attention. Hervé Villechaize commença par me parler en français, mais je n'oublierai jamais sa poignée de main. On aurait dit que j'avais la main potelée d'un jeune bambin dans la mienne, ce qui me faisait un drôle d'effet. De plus, Hervé Villechaize parle sur le bout de la langue, ce qui rend ses phrases encore plus inperceptibles. Le restaurant était bondé et fort bruyant à l'heure du lunch, alors, imaginez à quel point j'ai sué pour le saisir. Il me parla de sa France natale, de sa jeunesse, de son frère qui était de taille normale, de l'horrible grossesse de sa mère qui en avait fait un nain, et je ne quittais pas ses petits yeux noirs et croches d'un seul pouce. Il n'avait rien physiquement et se voulait le plus grand chasseur de femmes jamais rencontré. Il n'aimait pas les naines selon ses dires et voulait d'une femme de taille normale. Il me parla de ses deux ex-épouses, la première qu'il a aimée et la deuxième, Camille, qu'il a détestée au plus haut point. Il n'alla pas jusqu'à me dire qu'il avait tenté de la tuer, mais tous les journaux en avaient déjà parlé. Assis sur le bout de la banquette, il avait les jambes si courtes que j'avais peur qu'il tombe par terre à tout moment. Pour une fois, Lina avait quelqu'un... de plus petit qu'elle! On prit des photos et comme nous devions quitter, je dus expliquer à Hervé Villechaize l'autre engagement, tout en ajoutant que je regrettais ce peu de temps avec lui juste au moment où mon entrevue était à son meilleur. Il me regarde et me dit: «Vous êtes sérieux? Vous auriez aimé poursuivre?» Sur réponse affirmative, il ajoute: «Dans ce cas, que faites-vous ce soir?» Je n'avais rien de spécial et le lui précisai et il ajouta: «Bon alors, je vous appelle à votre hôtel à 6 heures et nous dînons ensemble, ça vous va?» J'acceptai de bon gré, car vraiment, l'entrevue était passionnante et Villechaize en avait beaucoup sur le cœur. Lina prit les photos, assurée qu'elle n'aurait pas à revenir le même soir et après une heure d'entretien (ce qui pourtant était suffisant), nous nous quittions sur la promesse de nous revoir le soir-même. Chemin faisant, Lina vociféra contre celui qu'elle qualifiait de «petit monstre d'homme» parce qu'il avait osé dire, en plus d'être en retard... que toutes les filles voulaient coucher avec lui!

Le même soir, à 6 heures précises, Hervé Villechaize m'appelait à mon hôtel pour me demander si je voulais bien le rejoindre au restaurant «Le Petit Château» de North Hollywood où il avait réservé une table pour 8 heures. J'avais déjà une faim de loup et je me suis gavé de chips et d'une bière, histoire de boucher une tripe jusqu'au souper. North Hollywood n'était pas à deux pas de mon hôtel et il m'en a coûté $25. pour m'y rendre en taxi. Ce restaurant était situé sur une rue assez sombre et loin de toute affluence. La renommée n'était sans doute plus à faire puisqu'on y faisait la lignée devant le régistre des réservations. Vêtu comme un prince et portant cravate, je mentionnai qui j'étais à la dame qui me dit: «Suivez-moi, monsieur Villechaize vous attend!» Je m'exécute et je me retrouve à une table somptueuse où le velours rouge servait de décor. Ce restaurant était des plus huppé. Il y avait des candélabres, des nappes de dentelle, des tableaux de maître, des tapis aux teintes vives, des draperies de soie, bref, une élégance digne du nom qu'il portait. Hervé Villechaize m'attendait à une table discrète en compagnie d'une jeune fmme qu'il me présenta comme sa première ex-épouse, Anne, celle qu'il aimait bien et qui était restée pour lui une amie. Il me trouva fort bien habillé et m'en fit la remarque sur un ton presque d'excuse car il portait un jean bleu avec un t-shirt blanc et rouge avec dessins comiques imprimés sur le devant. Il arborait une grosse montre et trois grosses bagues, trop grosses pour ses doigts courts. Sa femme n'était guère plus élégante avec ses cheveux raides et son pantalon noir assorti d'un blouson beige, mais je n'y fis guère attention. Le «Petit Château» était pourtant un restaurant de classe et à l'européenne. La propriétaire m'avait même accueilli avec un «bonsoir monsieur» on ne peut plus français. Oui, le petit «Tatoo» était mal à l'aise dans son accoutrement digne de Hollywood Boulevard. Anne, cependant, portait de jolies boucles d'oreilles et était maquillée, ce qui sauvait les apparences. Elle était fort gentille, cette chère Anne. Mesurant environ 5'2 pouces, elle semblait comprendre celui qu'elle avait un jour épousé. Il m'avoua: «Je vous ai parlé de ma bonne épouse? c'est elle!» Ce fut dès lors une fantasmagorie qui s'offrit à mes yeux et ce, du début jusqu'à la fin du dîner. Les plats étaient succulents et comme je ne voulais pas de vin, ce qui sembla embêter Hervé, sa femme lui recommanda de ne commander qu'une demi-bouteille. Il le fit... l'air ennuyé. Je poursuivis mon entrevue et il me descendit de long en large son collège de l'émission, Ricardo Montalban. Hervé n'aimait pas Ricardo et depuis que l'émission avait pris fin en anglais, ils ne se voyaient plus. Quand on avait remplacé Villechaize par une fille à la toute fin des enregistrements, Ricardo Montalban n'avait même pas levé le petit doigt pour le défendre. Il le traita d'égoïste, d'homme à ne travailler que pour l'argent. Il en avait marre des réprimandes de Montalban qui avait, selon lui, le nez fourré dans toutes ses affaires, même matrimoniales. Donc, c'était la hache de guerre qu'il m'exposait même si sa femme ne cessait de lui dire de ne pas parler de ça, de passer à autre chose. Petit homme frustré à qui on n'offrait plus de travail, Hervé Villechaize se défoulait ce soir-là et m'avoua à quel point Hollywood lui puait au nez, que c'était plein de voleurs, qu'il se faisait attaquer sur la rue et qu'il ne pouvait jamais sortir seul... propos que je ne rapportai pas dans mon article par la suite. Il n'avait pris qu'un seul verre de vin rouge et déjà, l'effet se faisait sentir comme s'il en était au cinquième. Que voulez-vous, avec une si petite taille, la capacité est celle d'un enfant et ça... son ex-femme le savait, pas moi! Hervé commanda l'autre «moitié» de la bouteille et la but au grand détriment de Anne qui s'impatientait de plus en plus. Il me demanda si j'avais des enfants et si j'avais des photos d'eux. Je lui montre celle de mon fils puis celle de ma fille. Devant le portrait de ma fille, il insiste pour savoir son prénom, s'agite comme un petit garçon, et pressant la photo sur son cœur, crie très fort dans le retaurant: «I'm in love, I'm in love, I'm in love!» Tous les regards se tournèrent vers nous et je me sentis fort embarrassé. Hervé Villechaize avait maintenant plus que quelques effets. Il mangea très peu, mais ne se retint pas de boire et j'assistai à la verte semonce que lui servit son ex-femme. Plus elle lui disait qu'il en avait assez, plus il en voulait. Comme un gamin entêté, il frappait du pied par terre ou de son poing sur la table pour ensuite s'excuser auprès de moi. À 41 ans, Hervé Villechaize traversait une période dramatique et je pus en saisir toute la profondeur. Seul, très malheureux, sans trop d'amis, parce que sans trop d'argent, il n'entrevoyait rien à l'horizon et n'acceptait pas sa dégringolade. Il avait encore un agent, mais pour combien de temps? Lui-même n'en savait rien. Voyant qu'il s'enivrait de plus en plus, je suggérai à Anne de le ramener à la maison pendant que j'attendrais mon taxi. Douce et chère Anne, elle avait une barque de patience et un véritable cœur de mère avec lui. Elle ne l'avait pas marié pour son argent, elle, parce que, au moment de leur rencontre, Hervé n'était pas encore une vedette. Ils s'étaient connus alors qu'ils fréquentaient la même école de dessin et peinture à Los Angeles et elle l'avait marié par amour. D'ailleurs, elle semblait l'aimer encore, mais avec une tendresse et une affection maternelles à présent. Quand je lui dis que j'attendrais mon taxi et de ne pas s'en faire pour moi, il s'objecta et dit à Anne: «Non, il y a trop de voleurs par ici. Nous partirons quand son taxi arrivera.» Ce qui voulait dire que sa femme et mois l'avions dans le hall d'entrée à le regarder tituber et à ennuyer tout le monde pendant au moins trente minutes, car les taxis sont denrée rare en Californie, surtout la nuit et davantage à North Hollywood. Il était déjà minuit, les alentours étaient très sombres et je vous avoue que je me sentais loin de ma mère! Une heure plus tard, il arriva enfin ce fameux taxi et le chauffeur était un Noir. Hervé lui demanda son numéro de permis, son nom, bref, son curriculum vitae au complet et avant que je ne parte, il me remercia chaleureusement d'avoir dîné avec lui et me répéta en se tenant après la muraille du restaurant: «Faites attention à lui, ce sont tous des voleurs ici!» Heureusement que le chauffeur ne comprenait pas un traître mot de français! Le taxi démarra et par la fenêtre arrière, je voyais la pauvre Anne qui le soutenait jusqu'à la petite voiture qui le ramènerait à la maison. Elle le soutenait comme on soutient un enfant qui a le vertige. Elle me fit signe de la main et je lui envoyai un baiser de la mienne. Tant que je vivrai, je n'oublierai jamais cette journée et ce petit homme malheureux. La détresse qu'il avait au fond des yeux m'allait droit au cœur. Récemment, je lisais dans un journal, que ruiné et misérable, Hervé Villechaize comptait regagner sa France natale pour y finir sa vie. Je ne sais trop si c'est vrai, mais ça m'attriste car j'aurais souhaité qu'il reprenne sa place au soleil. Peut-être était-il trop petit pour un monde peuplé de grands qui lui faisaient peur? Lui seul pourrait y répondre, mais je pense que le célèbre nain de L'Île Fantastique n'en sait rien lui-même. Et c'est sans doute pourquoi... coule le vin!

Je tourne la page du calendrier et février fait son apparition. Ce matin, je me suis levé mal en point. J'ai des étourdissements et la vision embrouillée. Serait-ce le foie... moi qui ai déjà perdu ma vésicule? J'en doute fort, quoique tous ces mets apprêtés en sauces épicées en soient la cause. On mange si mal en Californie que je préfère m'en tenir à un «hot dog» et un «diet Pepsi». Ça, au moins, je le digère. Il se peut que ce soit aussi le stress car, depuis quelques jours, je n'ai pas arrêté une seule minute et la tension s'est voulue très forte. J'ai beau ne pas avoir le trac et ressentir les papillons propres à ceux qui l'ont, n'empêche que toutes ces entrevues, ça joue avec les nerfs et il me les faudrait d'acier pour qu'ils ne soient pas affectés. Lina m'a réveillé tôt ce matin, car nous avions tout un périple en ce vendredi. Notre première visite était pour Pamela Bellwood, la belle interprète de «Claudia» dans «Dynastie». J'avais eu assez de mal à décrocher ce rendez-vous que je ne voulais surtout pas le manquer. Nous devions nous rendre aux studios et la rencontrer dans sa loge une heure avant le tournage d'un épisode. Nous étions à temps... c'est elle qui ne l'était pas. Le pire, de nous dire sa publiciste, est qu'elle ne s'était pas levée du bon pied et qu'elle voulait décommander à peu près tout ce qu'elle avait prévu pour sa journée. En même temps que moi, dans la petite salle d'attente juste à côté, il y avait là toute l'équipe du réseau de télévision le plus important d'Allemagne. Quatre techniciens et deux journalistes étaient là à jurer contre elle dans leur langage... et aussi contre moi qui avait rendez-vous avec elle à la même heure. Ils devaient faire un vidéo de la vedette dans sa loge et je les entendais dire à la publiciste qu'ils se devaient de passer avant moi et ma photographe. Pour eux, je n'étais qu'un journaliste et je n'allais pas être un bâton dans leur roue. Lina et moi, nous nous regardions et je me disais, au fond de moi, que «mon chien était bel et bien mort»! La publiciste, qui avait à se battre avec tout le monde, alla voir Pamela dans sa loge et en ressortit en me disant que c'est moi qu'elle allait recevoir en premier. Les Allemands étaient en furie et je leur passai au nez en leur tirant presque ma révérence. J'entrai dans la loge de Pamela Bellwood et, en regardant tout autour, je fus surpris de voir comment cette petite pièce était minable. Ce n'est sûrement pas une Joan Crawford qui aurait accepté pareil traitement à l'époque. Même le fauteuil sur lequel je pris place laissait à désirer. C'est tout juste s'il n'avait pas servi à «Lassie» dans ses heures de détente! Pamela Bellwood était devant son miroir en train de se peigner et je ne sentis qu'un regard furtif sur nous. On finit par nous présenter et elle esquissa à mon endroit un délicieux sourire. Elle ne semblait pas «dans son assiette», mais tenta le plus possible de cacher son jeu. Ce qui me frappa, c'était sa voix grave et sensuelle. Pamela Bellwood avait tout de «la star» qu'elle aurait pu être au temps du noir et blanc. Il y avait en elle un mélange de plusieurs vedettes mais physiquement, elle se rapprochait étrangement de la regrettée Susan Hayward. L'entrevue fut gentille et Pamela me reçut avec élégance et courtoisie. Ça manquait cependant de chaleur, ce qui ne me rendait pas la tâche facile. Quand vint le temps des photos, Lina ne put réussir à lui arracher le moindre sourire. C'est à peine si elle se prêta à la séance et, après cinq minutes, elle avertit Lina de ne plus prendre de photos. Je précipitai mes questions et heureusement que Pamela avait un faible pour le français, car ce matin-là, je n'aurais jamais été reçu par elle. Je sentais qu'elle vivait un drame intime et je n'avais pas tort, puisque douze mois plus tard, elle épousait un journaliste français après un orageux divorce. Le second mariage eut lieu dans la jungle et c'est à dos d'éléphant que cette étrange jeune femme ouvrit le cortège nuptial. J'ai donc obtenu cette entrevue tant voulue et je dois admettre que si elle ne fut pas plus chaleureuse qu'il n'en faut, Pamela sut se montrer fort aimable en me souhaitant un bon séjour à Los Angeles. Je sortis quand même ravi et je croisai les Allemands du regard. Ils étaient là à scruter leur montre et auraient certes voulu me tuer s'ils en avaient été capables. Le plus drôle, c'est qu'alors que je m'éloignais avec Lina, j'entendais la publiciste leur dire que Miss Bellwood n'avait plus le temps de les recevoir et qu'ils devaient revenir le lendemain. Je n'ai jamais pu saisir un blasphème en allemand, mais je vous jure qu'ils étaient multiples de leur part. J'en entendais même un crier en anglais que c'était de notre faute. Lina et moi avons pouffé de rire et vite regagné la sortie pour ne pas les avoir à nos trousses. Heureusement qu'il n'y avait pas de four crématoire dans le coin car, avec ces Allemands en colère, il n'aurait pas été nécessaire d'être un Juif ce jour-là pour y avoir droit. La belle «Claudia» de «Dynastie» était maintenant sur cassette et sur le film de Lina et c'est tout ce qui comptait pour moi. Tout le reste était déjà du passé. Au diable les Allemands... ma guerre était gagnée!

Nous n'avions pas de temps à perdre car, une heure plus tard, nous devions être sur le plateau de «Days Of Our Lives» afin d'y rencontrer la très belle Kristian Alfonso qui jouissait d'une forte popularité en interprétant chaque jour la fiancée de Beau (Peter Reckell) dans le «soap» de l'heure. J'avais déjà rencontré le monsieur et voilà que j'étais avec la belle demoiselle que je croisai au départ dans le terrain de stationnement des studios. Fine comme une mouche, belle comme une fille sortie d'une tribu primitive, je me demande encore pourquoi le cinéma ne s'est pas emparé de ce beau visage latin que je ne cessais d'admirer. J'avoue ne pas avoir vu une aussi belle fille depuis les Maria Montez et Sophia Loren. Nous avons eu un agréable entretien et Lina prit plusieurs photos d'elle, ce qui la consola de sa mauvaise expérience avec Pamela Bellwood. Quand Kristian Alfonso apprit que «Days Of Our Lives» jouissait d'une forte cote d'écoute au Canada, elle fut comblée. Peter Reckell était évidemment «la vedette» de l'émission et ce qui m'amusa, c'est quand elle m'avoua que Peter n'était pas du tout son genre. Elle ajouta même en riant: «Je n'aime pas les barbus et il est trop «macho» pour moi!». Ce qui voulait dire, mesdemoiselles, qu'elle vous le laissait entièrement... avec ses compliments!

Rencontrer Tristan Rogers, vedette de l'émission «General Hospital», fut presque une farce. L'acteur australien et vieillissant se prenait vraiment pour quelqu'un d'autre. Assis en face de lui dans sa loge, je faillis éclater de rire. Tristan Rogers était reconnu pour son élégance. D'ailleurs, les photos autographiées qu'il expédiait à ses admiratrices nous le montraient comme un vrai mannequin de Dior. Là, dans sa loge, il avait la barbe longue, les cheveux gras et il était habillé en «cow-boy» de la tête... jusqu'aux bottes. Je pensais que c'était là un déguisement pour un épisode, mais non, c'était sa tenue, rien de plus. Un «John Wayne» des pauvres, quoi! Je lui parlais de «General Hospital», du prestige de l'émission et plus j'en mettais, plus il la descendait en m'affirmant que ce n'était pas là un rôle à la hauteur de son talent, qu'il comptait démissionner afin de devenir un grand acteur de cinéma. C'est comme s'il était là à titre de porte-poussière, ramassant les dégâts de tout le monde. Je lui parlai de sa compatriote Olivia Newton-John et il changea vite de sujet, sans doute... parce qu'elle réussissait mieux que lui. Sa loge était laide, mal entretenue et aussi déprimante que lui. Je respectai ses opinions, je l'encourageai de mon mieux, mais mon Dieu que j'avais hâte de sortir de là. Il m'avoua être divorcé, ce qui ne m'étonna pas, et aussi beau soit-il, bien maquillé, laissez-moi vous dire que Tristan Rogers n'a rien pour faire pâmer les femmes, du moins en personne. De beaux yeux?... sans doute, mais sans profondeur. De plus, trop maigre, le dos courbé et j'arrête... avant de manquer de charité. Je quittai donc cet homme en l'admirant cependant de croire en lui à ce point. Il n'a rien fait qui vaille depuis. Il a démissionné, tenté de devenir acteur de cinéma, et comme ça n'a pas marché, il est revenu dans son rôle de «Scorpio», de «General Hospital», fort chanceux qu'on l'ait repris. Tout ce que je me rappelle de cette rencontre, c'est d'être sorti de sa loge la gorge très sèche. Tristan Rogers ne m'avait même pas offert... un verre d'eau!

Ma dernière entrevue de la journée ne devait pas être la moindre. À 4 heures, j'avais rendez-vous avec nul autre que Ricardo Montalban, le célèbre héros de «L'Île Fantastique». Il pleuvait en fin d'après-midi quand Lina et moi nous nous rendîmes au bureau de son agent sur Sunset Boulevard. Nous traversions la rue à pied et Lina fit une chute malencontreuse qui faillit nous faire arriver en retard. Juchée sur des talons très hauts, elle plongea face première dans la rue et délicate comme elle est, j'eus peur de la ramasser en morceaux. Fort heureusement, elle était plus solide que je ne le croyais et elle retrouva son équilibre, ainsi que sa caméra. Ricardo Montalban était déjà là, fier comme un paon, altier comme un prince, tout de noir vêtu et svelte comme un jeune premier. L'homme qui refuse de vieillir, quoi! Il a été poli et gentil, mais je l'aurais cru plus cordial avec ce sang latin qui bouille dans ses veines. Très «granola», rempli de principes, plein de préjugés, c'était le genre d'homme qui ne s'était jamais permis un écart de conduite et qui ne le permettait pas aux autres. Plus je causais avec lui, plus je comprenais Hervé Villechaize face à ses dires. Montalban ne parla pas contre le célèbre nain, mais je compris facilement qu'il avait rompu tous liens avec lui et avec tous les membres de l'équipe d'ailleurs. Très à son ego, vivant pour lui d'abord, il n'avait guère de temps pour les autres. Je l'imaginais en train de faire la morale à Villechaize quand celui-ci était saoul. Ce devait être hilarant, mais le petit Hervé m'avait bien dit qu'il ne pouvait plus subir ses remontrances. Même s'il avait fait fortune avec «L'Île Fantastique», Ricardo Montalban trouva le moyen de me glisser que ce rôle n'avait guère été valorisant. J'ai failli lui demander s'il se sentait capable de jouer autre chose... mais je me suis poliment retenu. Chose certaine, il est fidèle et son épouse n'a rien à craindre, elle ne sera jamais trompée. Ricardo Montalban est l'être le plus «straight» qu'il m'a été donné de rencontrer. Tellement «straight», qu'il doit en être plate. Ce n'est certes pas lui qui avait des «fantaisies» comme les personnages de ses épisodes. Il m'avoua avoir peu d'amis... et je n'eus pas à lui demander pourquoi! Comme il faut rendre à César ce qui appartient à César, je me dois de dire que pour un homme de 65 ans, il était drôlement bien de sa personne. C'était là son plus grand avantage. J'ai eu un bon entretien et ce que j'ai écrit sur lui l'a certes bien servi. Il a été poli, bien élevé, gentleman, mais ce n'est pas le genre d'homme qu'on a envie de revoir lors d'un prochain voyage. Avec lui, une fois suffit. Vous savez, quand on dit «ni chaud ni froid», c'est exactement ce que Ricardo Montalban m'a fait... comme effet. La page fut donc très facile à tourner!

La fin de semaine s'écoula sans heurts. J'eus enfin la chance d'aller magasiner et acheter quelques bons vieux films en noir et blanc pour ma collection. J'ai trouvé «Algiers» avec Hedy Lamarr et Charles Boyer, ainsi que «Madame Bovary» avec Jennifer Jones. Quelques souvenirs pour ceux que j'aime et qui m'attendaient et je me rappelle avoir dormi pendant des heures, sinon des jours, pour me remettre de cette énergie dépensée. Je n'en pouvais plus de voir cette chambre d'hôtel et mon plus grand désir était de regagner «mon hiver»! Je n'aurais pu mieux dire puisque je suis arrivé à Toronto dans une violente tempête de neige et que j'ai failli ne plus décoller pour Montréal. Heureusement, on a réussi à dégivrer la carcasse de l'appareil et nous avons pu enfin regagner Montréal avec une turbulence... à laquelle je ne m'habituerai jamais. Ce soir-là, au milieu des miens, je me suis détendu comme à chaque retour. J'ai écouté une symphonie de Mozart, j'ai repassé en mémoire tout ce vécu qui se voulait déjà du passé et je me suis trouvé bien courageux d'avoir accompli tout ce boulot. Je n'écris pas ces mots par prétention, mais «un journaliste à Hollywood» c'est comme un bœuf qui tire sans cesse sa charrue... et je n'ai pourtant rien de la force de cet animal! Je me demandais comment j'avais pu faire et j'ai trouvé la réponse. «Les nerfs, les nerfs, que les nerfs»... faut croire que ça tient!

ET LE BAL RECOMMENCE...

Mercredi, 22 janvier 1986 et après 20 heures sans sommeil depuis la veille, je suis une fois de plus à Los Angeles. Je pensais me détendre un peu dans cette ville où on enregistre 800 meurtres par année, mais non. À peine arrivé à mon hôtel, bagages pas encore défaits, j'avais déjà une entrevue à réaliser avec Abby Dalton qui habitait très loin dans la vallée. Non, ça ne me tentait pas, d'autant plus que le voyage m'avait fatigué et que le décalage horaire de trois heures me rentrait dans le corps cette fois-là. De plus, je devais m'y rendre en taxi car l'entrevue avait été organisée par sa photographe, une dénommée Roxy que je ne connaissais même pas. Il me faut aussi préciser qu'à partir de 1986, ma chère petite Lina ne pouvait plus me suivre par monts et par vaux. Elle serait de la soirée des Golden Globe Awards comme d'habitude, mais en ce qui avait trait aux autres entrevues, je me devais d'engager des photographes à la pige. Lina n'avait plus la force de faire ce travail. Elle avait perdu sa mère récemment et seule, minée par le chagrin, elle avait diminué de beaucoup son boulot en vertu de sa frêle santé. Donc, je n'aurais plus droit ou presque à ses dangereuses balades en vieille Camaro et je n'aurais plus la chance de rire chaque fois qu'elle gueulait après les autres conducteurs. C'était une autre aventure qui commençait pour moi et j'aurais à m'habituer à moult photographes, ce qui me dérangeait un peu, mais qui ajoutait au défi. Abby Dalton est cette actrice qui joue le rôle de la mère de Lorenzo Lamas dans «Falcon Crest». Très belle lorsque maquillée, elle porte allègrement ses 46 ans. L'entrevue se déroula à merveille, mais elle ne semblait pas porter le jeune Lorenzo Lamas dans son coeur. Pour elle, c'était un coureur de jupons invétéré et elle ne se gêna pas pour me le dire, «off record» évidemment! Elle me disait que Lorenzo, très sûr de son charme, laissait tomber les filles après trois ou quatre sorties. Ce qui avait davantage frustré Abby Dalton, c'est que Lorenzo avait fréquenté sa propre fille qui avait fini par subir le même sort que toutes les autres. Donc, à défaut d'avoir pu devenir la légitime «belle-mère» de Lorenzo Lamas dans la vie, Abby devait se contenter d'en être «la mère» dans la série. Elle m'a même ajouté : « Dites à celles qui l'admirent quel genre de type il est ! » J'ai cru sentir que Miss Dalton nourrissait une petite vengeance à l'égard de son «fils T.V.». Vêtue d'une somptueuse robe rouge, Abby Dalton était très belle lors de notre rencontre et incident mis à part, j'eus avec elle un bel entretien d'une heure, même s'il m'avait fallu attendre trois quarts d'heure pour que son maquillage soit prêt. Ah !... ces vedettes !

Ce soir-là, j'ai dormi comme un réfugié qui aurait passé un mois sur un «boat people». Mort de fatigue, la nuit me captura jusqu'à un tour d'horloge complet.

C'est l'euphorie encore une fois en face du Beverly Hilton. Il y a foule et les «groupies» sont plus nombreux que d'habitude avec papiers, crayons et caméras instanmatiques! La soirée des Golden Globe Awards attire une foule immense et je ne sais trop pourquoi, mais cette année, c'est pire que toutes les autres fois. Des bousculades, des hurlements et je rentre, bien cravaté, les entendant se demander encore une fois... qui je suis. On se cherche tellement des vedettes que dès qu'on voit un invité en smoking, il faut qu'il en soit une. À l'intérieur, la foule est dense et Lina, qui m'accompagnait, avait du mal à se frayer un chemin avec ses appareils et son gros sac. Nous venions à peine d'entrer lorsque je me trouvai face à face avec l'actrice June Allyson dont les plus de 40 ans se souviennent sans doute. Toujours mignonne, toujours mince, elle n'a guère changé et porte encore un toupet carré sur le front, tout comme jadis dans ses films et même dans la vie alors qu'elle était l'épouse du regretté Dick Powell. June Allyson se montra fort gentille et je lui rappelai que le premier film que j'avais vu d'elle était «Too Young to Kiss» alors que j'avais 14 ans. Je n'avais pas l'âge d'entrer au cinéma, mais la caissière du Palace, rue Ste-Catherine, s'était prise d'affection pour moi et je passais sous la rampe sur un simple clin d'oeil de sa part. June Allyson a bien ri de cette anecdote et, après l'entrevue, c'est elle-même qui m'a entraîné pour me présenter son vieil ami Cesar Romero, vedette de «Falcon Crest». Pour ce vétéran, c'était un retour à l'écran et comme il personnifiait l'amant de Jane Wyman dans la série, il était fort en vue. Cheveux blancs, 6' 4 pouces, costaud, il avait toujours fière apparence et rien d'un vieillard malgré ses 74 ans bien sonnés. Latin tout comme Montalban, je réussis à lui arracher quelques confidences malgré sa réticence et c'est ainsi que j'appris qu'il était resté célibataire toute sa vie. Je coupai court à l'entretien car les vedettes entraient comme ce n'est pas possible et je savais que pour bien apprécier Cesar Romero... il fallait avoir au moins l'âge de ma mère!

Tiens! me dis-je. En voilà un qui va faire le bonheur de plusieurs filles dont la mienne, si je réussis à l'obtenir en entrevue. Michael J. Fox, vedette de «Family Ties», «Back to the Future», etc., venait d'entrer sous les cris stridents des petites filles hystériques. Pour un instant, j'ai cru qu'il y avait un incendie dans la salle. Tant bien que mal, je réussis à l'approcher et, à ma grande surprise, il accepta volontiers mon entrevue derrière un décor pour fuir cette meute de louves. Petit, l'air adolescent malgré ses 27 ans, Michael J. Fox est, à mon avis, le plus adorable garçon de la terre. Un vrai bon petit «Canadien» et mon Dieu qu'ils sont différents des Américains. Pour une fois, Lina n'eut pas à nous «couper la tête!». Heureux de savoir que je venais de Montréal, Michael J. Fox gardait cette nostalgie du Canada où il aime retourner souvent. Très simple, se prenant pour le gars qu'il est, pas pour un autre, il arborait un sourire sincère et sa voix enrouée me subjugua. On aurait dit un garçon de 15 ans en pleine mue. J'eus beaucoup de plaisir avec lui et c'est en riant qu'il m'avoua que toutes ses blondes étaient plus grandes que lui. Quand on pense à tout ce qu'il a fait depuis ses débuts. Il est en train de devenir un second Dustin Hoffman de la colonie artistique. Ça lui arrivera sûrement quand on lui confiera des rôles plus sérieux mais en attendant, pas bête du tout, il prend tout ce qui sert bien son image. Ici, je peux dire aux filles qu'elles ont bien raison de rêver de lui. Michael J. Fox est un merveilleux garçon que toutes les mères voudraient comme gendre. Il est aussi un modèle de sobriété, de savoir-vivre, de bien-être. Loin des drogues, à l'abri des choses néfastes de la vie, les jeunes devraient prendre exemple sur lui, puisque c'est de cette façon qu'on réussit!

Gena Rowlands n'est peut-être pas l'actrice la plus connue du Québec, mais dans le monde hollywoodien, elle jouit d'un prestige à toute épreuve. Épouse de John Cassavettes, elle a surtout fait sa marque dans le film «Gloria» où elle incarnait une lesbienne et plus récemment dans le film «An Early Frost», où elle jouait le rôle de la mère d'un jeune homme atteint du sida. Décidément, Gena Rowlands héritait de rôles de composition assez discutés merci! J'ai donc causé avec Gena Rowlands, une personne timide et très réservée et j'ai senti la différence entre cette bête de scène et celles qu'on appelle les vedettes de la télévision. Miss Rowlands est du genre classique qui préfère se donner «live on stage» à son public plutôt que d'être la cible des projecteurs. Elle jouait beaucoup au théâtre et c'est d'ailleurs à ses côtés que «le dernier amant romantique» avait joué sans être payé. Vous vous rappelez? Une grande dame, une exquise simplicité et une artiste jusqu'au fond de l'âme. Voilà l'image qui m'est restée gravée de ma trop brève rencontre avec cette femme exceptionnelle.

Charlton Heston et Donna Mills étaient les hôtes de la soirée. Quel mauvais tandem! Elle, avec son «glamor» à outrance, et lui, sévère comme un pape. D'ailleurs, soit dit en passant, Charlton Heston n'a rien de l'homme sympathique qu'on croit qu'il est. Froid et très désagréable, il ne parle à personne, pas même aux vedettes qui le saluent en passant. Tiens! qui vois-je venir au loin? Nul autre que Peter Strauss, le héros de la série «Les Jordache» et plus récemment de «Kane et Abel». Très courtois, c'est avec joie qu'il me parla de lui, de sa carrière et de ses projets. Il était d'une patience angélique et offrait à tous un sourire qui illuminait son regard. Une seule chose cependant, il n'est pas aussi beau en personne qu'au petit écran. Il est sûrement très télégénique, car vu de près, il a une vilaine peau, un visage osseaux et de plus, il est carrément maigrichon. En plein le genre à vieillir avant son temps. Ces remarques n'enlèvent rien au fait qu'il soit aimable, très profond dans sa façon d'être et respecté de tous et chacun. Il s'est créé un nom pour atteindre de hauts sommets et c'est presque fait. En me donnant la main, il me dit, avec un petit effort mais sans accent : « Merci, mon ami ! »

Que de souvenirs ma prochaine invitée allait raviver en moi. Vous vous rappelez de Virginia Mayo ? Pas les jeunes, bien sûr, mais les parents de 40 ans et plus ainsi que les grands-parents. Virginia Mayo, c'était cette superbe blonde qu'on voyait dans les films de cow-boys ou de pirates, bien souvent avec Randolph Scott ou Errol Flynn. On l'a aussi vue dans quelques films musicaux et si elle n'a jamais remporté d'Oscar, si elle n'a jamais été une grande actrice, elle aura été, pour Hollywood, un grand nom qu'on classe déjà parmi les légendes. C'est curieux, mais ce soir-là, personne ne faisait attention à elle et je pense que même les jeunes actrices ne la reconnaissaient pas. Je vous avoue que si Lina ne m'avait pas dit : « Regardez à la table voisine, c'est Virginia Mayo »... je ne l'aurais pas reconnue. Encore attrayante pour ses 66 ans, elle a quand même pris « un coup de vieux », la pin-up du temps de la guerre. Assez rondelette, très fardée et dissimulant mal son double menton, elle avait pourtant encore ce regard qui avait séduit tant d'hommes. Surprise que je m'intéresse à elle et que je me souvienne de ses films (voilà qui ne me rajeunit pas !) elle m'accorda une belle entrevue. Quand je lui demandai pourquoi elle assistait à ce gala, elle me répondit : « Je ne présente rien, je ne reçois rien, je suis ici parce que ça me replonge dans ces soirées d'antan où j'étais reine ! » Et Virginia de partir au bras de son vieux mari en me soufflant un baiser de sa main gantée.

Des cris fusaient de partout, c'était la rage ! Je me demandais bien qui pouvait causer cette panique. Les photographes se précipitaient comme des fous. Pour un moment, j'ai pensé que la reine d'Angleterre était là. Non, c'était tout simplement Don Johnson et Philip-Michael Thomas, les deux héros de « Miami Vice » qui venaient d'entrer. Je vous avoue avoir vu les acteurs de « Dynastie » pâlir d'envie devant une telle acclamation. Don et Philip-Michael venaient réellement de « voler le show » à tout le monde. Don, vêtu de blanc et portant cravate et non une boucle, arborait sa fameuse barbe de deux jours et boitait suite à un accident de plateau. Il était obligé de se servir d'une canne, ce qui le rendait encore plus désirable pour les dames qui avaient toutes soudainement... la vocation d'infirmière ! On tentait de leur prendre le bras, de les attirer, bref, c'était la folie furieuse. Très froid, voire même glacial, Don Johnson ne regardait personne et ne rendait aucun sourire. « Macho » jusqu'au bout des orteils, il était du genre « regardez-moi et passez votre chemin » ! Inutile de vous dire qu'aucun journaliste ne put l'approcher et quand il reçut son trophée, il s'esquiva rapidement par une porte de côté. Je me suis donc emparé de Philip-Michael Thomas qui, plus courtois, se prêta de bonne grâce à mon entrevue. Il me parla de ses «ex-femmes» et en avait ce soir-là encore deux à son bras. Rien de trop beau! Ce Noir de très belle apparence a les yeux les plus envoûtants de la terre et un sourire éclatant. Peut-être marche-t-il un peu lui aussi sur des nuages avec cette gloire soudaine, ça ne l'empêchait pas d'être accessible et fort gentil avec les gens de la presse. J'ai bien ri avec lui, car plus il me parlait, plus ses «deux escortes» s'impatientaient et voulaient l'entraîner avec elles. Il leur signifia du doigt (même si ça vous choque, mesdames) d'aller l'attendre à sa table et il n'eut pas à répéter son geste. Elles partirent comme deux petites brebis qu'on vient d'apeurer et le séducteur de l'heure retrouva son sourire pour bavarder encore avec moi. À Hollywood, quand on est «star»... ça se passe comme ça!

Qui vois-je au loin encore une fois? Faye Dunaway... plus excitée que jamais. Je l'ai saluée, nous avons échangé quelques mots, mais comme j'avais déjà fait une entrevue avec elle, je ne tenais pas à récidiver avec tout le beau monde qu'il y avait là. Faye Dunaway jouait encore les petites filles en se dandinant sur place, en se tenant croche. Tout ce qui attirait les regards était l'immense bavette en pierres du Rhin qu'elle portait sur une robe de style «charleston» des années folles. Je l'entendais crier à un ami d'aller lui chercher un autre verre et je l'observais en souriant. Finalement, elle n'est pas méchante cette Miss Dunaway et mieux valait en rire. N'empêche qu'il est toujours décevant de s'attendre à rencontrer une princesse... et de se retrouver avec une bergère!

Je ne vais pas m'éterniser avec la prochaine vedette rencontrée car ce fut de courte durée... et c'est un homme que je n'ai pas aimé à première vue. Jon Voight a peut-être un nom célèbre, mais un visage de marbre. Jouant beaucoup à la vedette avec foulard blanc jeté négligemment sur son smoking, il est un être vraiment imbu de lui-même. Je n'ai jamais aimé l'acteur quoi qu'on en dise et je n'ai pas davantage aimé l'homme. Jon Voight ne semble pas avoir d'amis. Assez seul ce soir-là, on le saluait, pas plus. Sans aucun charisme, il n'a même pas réussi à séduire la foule. C'est tout dire! Lina me poussa à réaliser une entrevue avec lui, ce que je fis, mais sans en éprouver le moindre contentement. Et je ne m'étais pas trompé. Du début à la fin de notre entretien, Jon Voight flottait entre le plafond et le plancher. Un vrai numéro de cirque!

Le clou de cette soirée était certes Barbara Stanwick qui recevait à son tour le trophée Cecil B. De Mille en hommage à sa carrière, tout comme Elizabeth Taylor l'an dernier. Quelle femme et quelle dignité! À 78 ans, Barbara Stanwick avait encore cette taille de guêpe que plusieurs femmes de 30 ans pourraient lui envier. Très altière dans une robe moulante orangée, ses cheveux blancs contrastaient magnifiquement avec ses atours. Vivement impressionné, j'ai réalisé l'une de mes plus belles entrevues avec elle. J'ai même eu un trac, un vrai, exactement comme je les aime, un trac comme à mes tout débuts, un trac qui fait du bien. Sa voix grave, ses yeux qui percent les vôtres, sa bouche encore sensuelle, wow! j'étais loin d'être en face d'une starlette. Très habituée aux journalistes, Barbara Stanwick leur fait du charme tout en les figeant sur place. Une grande actrice vous dis-je... même dans la vie. J'avais presque hâte de terminer pour retrouver mon calme et quand je lui baisai la main, geste qu'elle apprécia, elle me souhaita une bonne soirée et me regarda une dernière fois dans les yeux... telle une reine face à l'un de ses sujets. Tout de suite après, je dis à Lina : « Venez, allons nous asseoir un peu, cette femme a tout pris de moi ! » Barbara Stanwick demeurera, dans ma mémoire d'homme, la femme la plus extraordinaire jamais rencontrée.

J'ai bien dormi cette nuit-là et le lendemain, un petit repos n'allait pas être de trop. C'est donc avec joie que je suis monté sur la toiture de mon hôtel afin de m'écraser dans une chaise longue tout près de la piscine et lire les journaux du matin qui annonçaient les gagnants de la veille. Récupérer toute la journée m'a fait le plus grand bien et le soir-même, je suis allé sur Sunset acheter d'autres vieux films pour ma collection. J'ai même pu mettre la main sur «Gentlemen Prefer Blondes» avec Marilyn Monroe et Jane Russell... sans savoir que trois jours plus tard, j'allais me retrouver chez cette dernière. J'ai aussi acheté le film «This Gun For Hire» en noir et blanc avec Alan Ladd et Veronica Lake et ça m'a rappelé l'époque où j'étais allé voir ce film en première... au théâtre Villeray. C'était au temps où moi aussi je rêvais d'être un acteur et en achetant ce film trente ans plus tard, je réalisai que Alan et Veronica étaient morts tous les deux. Je me demande si ces «étoiles»... se retrouvent toutes dans le même ciel !

Lundi, 27 janvier et je téléphone à Montréal pour apprendre qu'une horrible tempête de neige y faisait rage. J'étais donc très heureux d'être à Los Angeles, à 85 degrés au soleil. Je pensais bien avoir une petite journée mais Daniel, un photographe que je connaissais ici, me téléphone pour me demander si je suis intéressé à me rendre à Santa Barbara avec lui afin d'y faire deux entrevues, John Beck et ensuite Jane Russell. Quelle coïncidence ! Tout comme je l'ai dit plus tôt, je venais tout juste d'acheter un film avec elle et voilà que je serais bientôt chez elle. J'acceptai de bon gré d'autant plus que je n'avais jamais vu Santa Barbara. Daniel avait une petite camionnette à deux places et je pus regarder de haut le majestueux océan tout au long du parcours. Le panorama était magnifique et comme Daniel conduisait très bien, ça me reposait des « montagnes russes » de l'incorrigible Lina. John Beck est cet acteur qui joua un rôle monstrueux aux côtés de Marie-France Pisier dans « The Other Side of Midnight » (De l'autre côté de minuit). Plus récemment, il se fit une seconde renommée en s'intégrant à l'équipe de « Dallas » où il décrocha un rôle assez important. Nous avons eu du mal à trouver sa maison, mais nous y sommes parvenus et encore là, deux chiens nous attendaient. L'un pour jouer... l'autre pour dévorer! John Beck vint à nous avec ce sourire propre aux braves pères de famille. Il venait tout juste d'aménager dans ce vaste domaine qui avait 100 ans d'existence et son épouse était encore affairée à défaire des boîtes et des boîtes avec l'aide des déménageurs. Ce n'était certes pas le moment propice pour arriver chez lui, mais il nous reçut avec grande amabilité. Il nous fit faire le tour du propriétaire et me montra la piscine qu'il voulait garder intacte même si elle était de ciment et du genre à avoir servi à une Jean Harlow. Les statues de plâtre, les escaliers craqués, les marches brisées, tout ça avait du charme et je me sentis comme dans un vieux manoir du dix-neuvième siècle. John Beck, excellent père de famille, me parla avec tendresse de ses quatre enfants, de la vie tranquille qu'il menait, de son petit bonheur bien à lui et de sa passion pour les antiquités, dont cette maison qu'il venait d'acquérir à gros prix. Sur mes instances, son épouse accepta de prendre des photos avec nous, même si elle avait l'air de la femme de ménage, comme elle disait en riant. Couple heureux et sans histoire, ça sentait le bonheur dans cette maison. John Beck n'avait rien en commun avec Hollywood, sauf le métier d'acteur. Pour lui, c'était gagner sa vie, rien de plus, et quand les projecteurs s'éteignaient, il redevenait pour sa famille l'être merveilleux que j'ai pu rencontrer ce jour-là.

Trente minutes plus tard, Daniel et moi arrivions chez Jane Russell et c'est son troisième mari, John Peoples, qui nous reçoit. Ex-commandant de l'Armée américaine, il m'a semblé à première vue être aussi le « commandant » de sa maison. Jane n'était pas encore prête et j'en profitai pour regarder partout dans cette villa « très ordinaire ». Je vous avoue avoir vu des chalets des Laurentides beaucoup plus luxueux que la maison de cette « grande vedette »! Elle arrive enfin dans la splendeur de ses 64 ans, me serre la main et je la dévisage de la tête aux pieds. Très bien conservée, elle a encore tout ce qu'il faut pour annoncer « Wonder Bra » à la télévision. Un seul « hic », elle se maquille très mal et dépasse ses lèvres avec son rouge, ce qui fait peu distingué. Je la sentais bizarre cependant, mais comme elle m'affirme ne plus boire depuis longtemps, d'avoir vaincu son alcoolisme, j'eus l'impression qu'elle calmait ses moments intenses par « des petites jaunes » ou quelque chose du genre. Elle parlait lentement, ses gestes étaient très lents également et le photographe eut le temps de se payer une bonne session. Il n'avait pas à lui dire quelle pose prendre. Jane Russell n'avait rien oublié de ce qu'on lui avait appris alors qu'elle était sur les posters les plus vendus en Amérique. Elle m'offrit un grand jus d'orange (encore un autre), me parla de sa fille qui avait tenté de se suicider, de son fils qui avait été pendant longtemps un vrai «hippie». Elle me parla de son premier mari, du second qui était décédé... et bien sûr, de celui qu'elle avait à ses côtés. C'est drôle, mais je ne sentais pas d'harmonie dans ce couple. C'est comme s'il lui tombait sur les nerfs et quand il s'avisait d'énoncer quelque chose, elle s'obstinait avec lui devant nous. Ce qui me touchait le plus, c'était d'être juste à côté de cette vedette qui avait débuté dans «The Outlaw» et qui avait été pendant des années sous contrat avec Howard Hugues. Très pieuse, elle me parla tellement longtemps du Bon Dieu que j'ai cru qu'elle prenait son bain chaque matin dans un bénitier. Elle m'avoua ses graves problèmes d'alcool, ses soins psychiatriques, bref, elle me raconta sa vie et me montra le livre qu'elle venait de publier et qui s'intitulait «Jane Russell... my life». Sur la couverture, il y avait le poster d'elle couchée dans le foin et qui l'avait rendue célèbre. C'était extrait du film «The Outlaw» dans lequel elle fit ses débuts. Peu active pour ne pas dire retraitée, elle ne joue plus et ne fait plus d'apparitions dans les cabarets de Las Vegas où elle a été reine pendant des années. Quand je lui avouai que je venais d'acheter le film «Gentlemen Prefef Blondes», son mari me demanda combien je l'avais payé. Je lui répondis qu'il m'avait coûté $50. et lui de s'écrier, en s'adressant à elle: «Tu vois, Jane, tu ne reçois même pas un sou de la vente de tes films!». Jane Russell passa outre à cette remarque mais j'eus l'impression que son mari était pingre pour ne pas dire avare. J'allais en avoir la preuve quelques minutes plus tard. Comme elle voulait surtout promouvoir son livre «at large», je lui demandai si elle avait une copie qu'elle pouvait me remettre, ce qui est bien normal dans un tel cas, surtout quand on invite un journaliste qui vient du Canada. Elle n'eut pas le temps de me répondre que son mari me lança: «C'est la seule copie que nous avons, mais si vous le désirez, notre domestique peut aller vous en acheter un juste au coin de la rue.» Je faillis tomber à la renverse et je sentis que Jane Russell était fort embarrassée. Très calme, je lui rétorquai: «Faisons quelque chose, vendez-moi le vôtre et vous pourrez vous en acheter un autre dès demain, non?» Il regarda sa femme et je sentis qu'à son tour, il était très mal à l'aise. Ayant déjà publié des livres, je sais fort bien que nous avons toujours des copies pour la promotion et que les éditeurs vous donnent en plus une cinquantaine de copies pour votre usage personnel. J'ai failli leur dire que j'étais aussi auteur, mais c'eut été leur signifier qu'on ne me passait pas «un sapin» comme ça... même si je venais de très loin au Canada. John prit le livre entre les mains de Jane, me le tendit, et quand je lui demandai devant tout le monde qui était là, combien je lui devais, il me répondit en rougissant maladroitement : «C'est $20.00 monsieur». Je lui tendis le billet qu'il enfouit dans sa poche et, me tournant vers Jane, je lui demandai avec dignité : «Auriez-vous l'obligeance de me le dédicacer maintenant qu'il est à moi?» Je pense qu'ils ont saisi la remarque puisqu'il se leva et s'excusa pour quelques minutes. Jane appela sa domestique et lui demanda de lui apporter son stylo à encre argenté. Elle me dédicaça son livre avec un «God bless you» pendant que son pingre de mari m'offrait un jus d'orange que je refusai. Daniel avait observé la scène du début à la fin et avait un sourire en coin. Le pire pour eux, c'est que pendant que je causais avec elle, un journaliste local d'un petit journal de Santa Barbara arriva pour une entrevue. Elle le pria d'attendre, mais il eut le temps de lui dire devant moi : «Merci pour le livre que vous m'avez envoyé hier, je l'ai apporté pour avoir une dédicace de votre part!» Ils étaient si mal à l'aise tous les deux que c'en était cocasse. Daniel et moi avons failli pouffer de rire. Mon photographe prit au moins 40 photos de la déesse des années 40 et j'appris plus tard qu'elles les avaient toutes refusées, ne se trouvant pas avantagée. Daniel avait oublié de lui dire que le «Kodak»... prenait pourtant ce qu'il voyait! Moi, j'étais déjà parti avec les miennes sans qu'elle puisse les regarder. De cette visite chez Jane Russell, je garde le souvenir d'un jus d'orange et d'un «autographe»... qui m'a coûté $20.00. C'est d'ailleurs avec beaucoup d'humour que je raconte cette anecdote à qui veut bien l'entendre. J'ai quand même le privilège d'avoir une copie de son livre signée de sa main d'actrice, mais comme disait ma mère : «Ça prend toutes sortes de monde pour faire un monde!»

28 janvier 1986 et c'est ce matin que la navette spatiale, qui partait de la Floride avec ses huit astronautes, a explosé dans l'espace. Ce fut le choc brutal à travers le monde entier et l'on parlait surtout de l'institutrice qui avait perdu la vie et qui devenait, par le fait même, l'héroïne de tous les élèves de la terre entière. Inutile de vous dire qu'une telle catastrophe bouleverse une journée, surtout quand on se trouve en territoire américain. Tout le monde ne parlait que de ce tragique accident et j'ai vu des gens pleurer sur la rue, dans le lobby de l'hôtel, au bar, bref, partout. J'en fus moi-même bouleversé et la journée s'écoula sans que personne ne travaille. C'est comme si la nation, figée sur place, était tombée dans un deuil instantané.

Le lendemain de ce triste événement, je rencontrais l'acteur Hugh O'Brien, celui qui a été fort connu par son rôle de «Wyatt Earp» pendant sept ans à la télévision. Il était ce qu'on appelle un «cow-boy» invincible dont l'ami était un aigle. Vous vous souvenez? Comme il m'avait donné rendez-vous à son bureau du vingt-deuxième étage d'un chic édifice de Beverly Hills, j'arrivai là, cravaté, habillé d'un complet noir très formel avec pochette de satin gris. Hugh s'occupait activement d'un mouvement de jeunesse à travers le monde entier. Je m'attendais donc à rencontrer un homme austère, vêtu de gris, mais après être passé par trois secrétaires, j'arrivai dans un vaste bureau face à un Hugh O'Brien vêtu de «jeans», d'une chemise à carreaux et de bottes western! Le «cow-boy» n'était jamais sorti de lui! Il me parla bien sûr de sa carrière d'acteur tout comme un vétéran sait le faire, mais il voulait surtout axer l'entretien sur son mouvement pour la sauvegarde des jeunes. Ce fut donc une entrevue très «plate» parce que trop technique. D'ailleurs, encore à ce jour, je ne comprends rien à son organisme tellement c'est vague. Célibataire rempli de manières de «vieux garçon», Hugh O'Brien souffrait en plus de surdité (une contagion là-bas!). Il m'a donc fallu crier sans cesse pour obtenir des réponses à mes questions. Quand j'y pense, quelle corvée! Une entrevue, je l'avoue, dont j'aurais fort bien pu me passer.

Le téléphone ne dérougit pas et je ne sais plus où donner de la tête. J'ai même l'embarras du choix, ce qui se veut loin de mes premiers séjours où j'aurais donné n'importe quoi... pour rencontrer n'importe qui. Ce matin, je suis en route pour Westwood afin d'y rencontrer Heidi Bohay, la jolie petite blonde de la série «Hôtel». Elle vit dans un joli petit bungalow avec son manager... qui est également son amant. Je fus accueilli par deux chiens encore une fois, mais deux chiens jaloux l'un de l'autre et qui se battaient entre eux pour jouer avec moi. Jolie petite maison que la sienne et Heidi Bohay a été charmante. Elle m'a parlé de son rôle, de sa maman, de ses frères et soeurs et bien sûr de Harry, celui avec qui elle vivait et qu'elle comptait épouser. J'avais devant moi le plus ravissant couple d'amoureux et, aux dernières nouvelles, j'appris qu'ils n'étaient plus ensemble. L'amour à Hollywood, c'est comme les carrières. Ça file... au gré d'un tout petit coup de vent!

Il pleut à boire debout ce soir et le photographe Daniel m'a invité, à rencontrer à son studio, la fille du regretté Tyrone Power qui veut à tout prix faire carrière tout comme son père. Je m'y suis rendu en taxi et la pluie était si forte que le chauffeur dut arrêter en chemin ne voyant presque plus rien. Nous avons fini par arriver et dès que rentré, Daniel me présenta à elle. Je la trouvai fort jolie... mais un peu défraîchie. Taryn de son prénom, Taryn Power de nom entier, ne peut avoir mieux choisi pour se servir de la célébrité de son défunt père. Déjà dans la trentaine, mère de trois enfants, divorcée, elle avait tout de la femme désabusée à qui même un savant maquillage ne camoufle pas un orageux passé. «Si mon père était encore de ce monde, on m'ouvrirait toutes les portes» me dit-elle. «Le fait qu'il soit mort ne m'aide en rien car à ce moment, personne ne lui doit plus rien. Vous comprenez?» Je venais d'apprendre comment ça se passait quand la fille ou le fils d'une célébrité réussissait dans le milieu hollywoodien. Les contacts «du paternel» étaient une mine d'or... tant qu'il n'était pas mort. Taryn Power n'a pas eu cette chance et je pense que malgré tous ses efforts, elle n'aboutira à rien. Il y avait dans ce regard tant de tristesse, tant de détresse que le rôle dramatique qui aurait pu lui mériter un «Oscar»... était celui de sa propre vie. Elle me parla de sa mère, l'actrice Linda Christian, de sa soeur, mais pas de son demi-frère que son père eut d'une autre femme et qu'elle n'a jamais voulu voir. Une telle rencontre par un soir de pluie m'a déprimé. C'était la première fois que je croisais sur mon chemin un être aussi malheureux que cette jeune femme aux yeux bleus. Et je m'interroge encore à savoir... ce qu'elle est devenue depuis !

Vous aimez l'émission «Dynastie»? Donc, vous connaissez sûrement Michael Praed, ce beau prince sorti d'un conte de fées qui épouse «Amanda» à un certain moment. C'est donc avec cet acteur britannique que j'ai rendez-vous ce matin au bureau de son agent. Moi qui l'avais vu en beau petit prince, je fus très surpris de le voir arriver en «hippie». Il portait une barbe de trois jours, un anneau d'or à l'oreille, une vieille veste noire, des jeans et des running shoes. J'eus la surprise de ma vie d'apprendre qu'il était «rocker» en Angleterre et qu'il faisait même partie d'un groupe fort en vue là-bas. Ce rôle dans «Dynastie» n'était qu'un incident de parcours. Très joli garçon cependant, avec de très beaux yeux, il était de plus fort distingué dans ses propos et très gentleman dans ses manières. Ce fut très agréable de causer avec lui et d'entendre cet accent que j'aime tant. Mais mon Dieu qu'il ne faut donc pas se fier aux rôles. Ce qu'ils sont dans la vie est parfois le contraste flagrant de ce qu'ils sont à l'écran. Dans son cas à lui... c'était vraiment le jour et la nuit !

Je reçois l'appel d'un publiciste que je connaissais et qui savait que j'étais à Los Angeles. Il me dit sur un ton plus qu'amical: «Dites, ça vous tenterait de rencontrer Gene Hackman cet après-midi?» Si ça me tentait... quelle question ! Je fis comme s'il m'avait parlé d'un débutant et lui répondis: «Et pourquoi pas?» J'étais dans le fond très heureux, je ne m'en cache pas. Gene Hackman a la réputation d'accorder très peu d'entrevues et il fuit les photographes comme la peste... même si son fils a choisi ce métier. Je me suis donc empressé de me rendre au bureau de son gérant et ce maître du cinéma m'accueillit avec une franche poignée de main. Je lui parlai naturellement du film «The French Connection» qui lui avait valu un «Oscar» à titre de meilleur acteur de l'année et je lui parlai ensuite de divers sujets. Très peu ouvert sur sa vie privée, Hackman me parla de ses enfants, mais je pouvais sentir qu'ils passaient bien après «sa carrière». Mystérieux, timide au moment des photos, il s'y prêta quand même avec le sourire et me parla de ses projets, du Canada, de sa façon de voir la vie et accepta même de poser avec Le Lundi entre les mains, ce qu'aucun grand acteur ne voulait faire. Pour moi, ce fut une rencontre inoubliable parce que depuis, tous ceux et celles à qui j'énumère les noms des vedettes que j'ai rencontrées m'arrêtent pour s'écrier: «Quoi? tu as rencontré Gene Hackman? Pas possible!» C'est maintenant que je comprends que j'ai eu ce jour-là une chance inouïe!

C'est ma dernière journée à Hollywood et pour faire changement, il pleut à boire debout. D'habitude, la veille de mon départ, je récupère, je flâne et je dors beaucoup car le trajet est long et éreintant. La pluie ne me dérangeait nullement, mais pour les Américains, c'était comme s'il s'agissait d'une terrible tempête de neige. Les embouteillages sont plus nombreux qu'à Montréal en plein hiver à cinq heures du soir. Le téléphone sonne et c'est Roxy, la photographe attitrée de l'actrice Abby Dalton qui me demande si je suis intéressé à rencontrer Gordon Thomson, le terrible «Adam» de l'émission «Dynastie». Je voudrais bien, lui dis-je, mais je pars demain. Elle semble désappointée et m'avise qu'elle va me rappeler. Dix minutes plus tard, elle rapplique et me dit que Gordon serait prêt à me rencontrer le soir-même. J'accepte donc... mais en raccrochant, je ne suis pas très content. C'est mon dernier soir ici, il pleut à boire debout et je suis fatigué. Par contre, Thompson est une grosse vedette au Québec et «Dynastie» est l'émission la plus regardée. Je saute donc dans un taxi à 6 heures et nous grimpons la colline de Laurel Canyon... à une vitesse folle. Je me serais cru avec Lina, mais à lui, j'ai pu dire sans qu'il ne s'offense... que je tenais à arriver en haut de la pente vivant. Je vous épargne le retour, car en descendant la colline avec cette pluie et chaussée glissante, j'ai fermé les yeux et j'ai même fait... mon signe de croix!

C'est tout pimpant et fringant que Gordon Thompson m'attendait. Heureusement qu'il s'avéra être une perle d'homme, ce qui me fit oublier la pluie et ce «last call» de dernière minute. Canadien jusqu'au fond de l'âme, Gordon Thompson me parla de Toronto, de Montréal, de la mentalité américaine comparativement à la nôtre et alla jusqu'à échanger certains propos dans un excellent français. Très humble, dix fois plus sympathique que John James, il a un de ces sourires qui communique une joie de vivre. Quand j'appris qu'il avait 41 ans, j'eus peine à le croire. Ce type en paraissait à peine 31 et se gardait en excellente condition physique, même s'il fume un peu trop. Quand je le qualifiai de «terrible Adam», il éclata de rire et m'avoua que son rôle, aussi vilain fut-il, lui rapportait en moyenne de 500 à 800 lettres d'amour par semaine. Ce qui veut dire que plusieurs femmes aiment ce genre d'homme mesquin et hypocrite? Ne seriez-vous pas un peu «masochistes» mesdames? Peut-être avez-vous perçu derrière le masque de «Adam Carrington» toute la tendresse de Gordon Thomson. J'aime mieux croire cette hypothèse et si tel est le cas, vous ne vous êtes pas trompées, mesdames. Gordon est l'homme le plus doux et le plus gentil de la terre. Je garde de ce «compatriote» une très belle image et je lui ai promis de le revoir à chaque année au cours de mes voyages. Je sentais que lui et moi étions devenus des amis. Il était presque minuit lorsque je regagnai mon hôtel et je prenais mon avion à 7:30 hrs le lendemain matin. Elle fut plus que courte ma nuit car je n'avais pas encore bouclé mes valises. Vie de fou? Pour sûr que c'en est une et je me demande encore pourquoi j'ai eu le culot de vouloir devenir «un journaliste à Hollywood»!

AU GRÉ DU VENT
ET DES... «ÉTOILES»

Un an s'est écoulé depuis ma dernière visite et voilà qu'en ce mardi 27 janvier 1987, au moment d'écrire ce dernier chapitre, je suis une fois de plus à 40,000 pieds d'altitude en direction de Hollywood. À bord de l'avion de Air Canada, il y a une foule de gens heureux qu'on a pris à Montréal, tout comme à Toronto. Des gens heureux d'atteindre le soleil qui ne brille pas de tous ses feux en ce moment. À mes côtés, un homme de 73 ans, usé par la vie, les mains tremblantes au moment de déboucher son vin et qui me parle de lui, de sa misère d'antan, de sa femme décédée il y a quelques années et de sa fille qui l'attend dans sa petite maison de Santa Monica. Un homme qui avait besoin de parler et que j'ai écouté avec le plus grand respect jusqu'à ce qu'on nous présente un film qui le fit taire pendant deux heures. Vous ai-je dit que je voyageais sans cesse avec Air Canada sauf une fois... où je l'ai amèrement regretté? Si j'ai choisi cette ligne aérienne, c'est que je m'y sens en sécurité, que leurs appareils sont de premier ordre et que le service est courtois et impeccable. Je n'ai jamais eu à me plaindre de la moindre peccadille avec Air Canada. Au contraire, j'ai toujours su louanger leur mérite car il est vrai qu'avec eux, le client a droit à tous les égards. C'est aussi à cause de la sécurité que je ressens à bord de leurs avions que j'ai pu contrôler peu à peu ma phobie de l'altitude. Si, au départ, voler était pour moi une peur incontrôlable, j'en suis maintenant à me sentir pas tout à fait dans mon salon, ce serait mentir, mais du moins dans... mon vivoir. Plus ça va, plus j'aime ça et ce goût du ciel bleu, c'est via Air Canada que j'ai appris à m'en gaver. Le 11 janvier, soit quinze jours à peine avant mon départ, ma mère décédait et son départ me chavira. Elle savait que j'avais entrepris l'écriture de ce livre et elle en était fière. Je lui avais même fait la narration du premier chapitre alors que j'étais enfant et qu'elle dialoguait avec moi. Comme elle était heureuse d'en faire partie et comme elle avait hâte d'avoir le bouquin terminé entre les mains. Elle n'aura malheureusement pas ce bonheur, mais je sais que, du haut du ciel, elle me suivra jusqu'à l'épilogue, sachant qu'il m'aura fallu tout ce temps pour réaliser mon rêve d'enfant. Sa mort a retardé de quelques jours mon départ et je vous avoue qu'on ne part pas d'un cimetière pour se retrouver entre ciel et terre sans ressentir le chagrin de la transition. Le jour de son décès, je me rappelle lui avoir enlevé le jonc en or qu'elle portait à l'annulaire et de l'avoir glissé à mon auriculaire. Je lui avais murmuré, en la regardant avec tendresse: «Maman, de cette façon je t'emmenerai avec moi jusque là-bas. Ce sera ton baptême de l'air et tout comme moi, tu verras

147

cet autre univers dont tu me parlais autrefois!» Et je l'ai sentie tout près de moi tout au long de ce périple. C'était là, ma façon de lui dire «Adieu»!

Sunset Boulevard n'a pas changé et la pollution est toujours la même. Heureusement que j'ai la chance d'être né pour le béton, car je ne résisterais pas dans un tel climat. Il fait beau, il fait chaud, mais ça sent tellement «faux» à Hollywood. Ici, tout n'est que «business» et l'on parle d'argent, de voitures, de films, de bouffe, même si pour la plupart, un bon repas, c'est du «fast food«. On sert encore du vin Chablis au verre et l'on vend de la bière de tous les pays, même la Moussy sans alcool. C'est une ville sans âme, un sol sans références. Pas surprenant que la terre tremble si souvent sous le fardeau de la colère. À Los Angeles, sur la rue, de pauvres hères s'en vont au gré d'un «joint» vers je ne sais où. Des clochards âgés de 25 à 35 ans. Il y a aussi des «punks», des «freaks» et des «bums» venus de tous les coins du monde. Sur Santa Monica Boulevard, des tonnes de prostitués mâles, sur Sunset... des femelles. On vit à cent milles à l'heure ici. On ne respire pas, on s'accroche à un dernier souffle. Hollywood, ville de rêve?... ville de misère plutôt pour le commun des mortels. Il y a d'ailleurs plus de pauvres que de riches, pas de Bien-être social et pas même de soins médicaux gratuits. Alors, on ne se soigne pas. On vit... ou on meurt! Ce n'est pas parce que j'y suis chaque année dans la splendeur que j'ai les yeux fermés sur la douleur. J'ai donné plus de dollars à des mendiants que de miettes de pain aux moineaux de chez nous. Vous allez me dire que c'est à peu près pareil dans toute grande ville? Pas tout à fait. À Hollywood, on y vient pour y faire fortune, pour faire de ses rêves des réalités et quand ça ne marche pas... on ne repart pas. On reste et l'on devient ce que l'on peut, pas ce que l'on veut. Voilà pourquoi ce sera toujours pour moi une ville à part, une ville où la survie se veut emblème. Voilà pourquoi je ne vivrais pas là à longueur d'année. Et ne dites pas «tant pis pour lui»... je ne pourrais vivre sans les quatre saisons de Vivaldi!

Cette fois, j'ai la chambre 307 au Hyatt sur Sunset et je m'y sens très à l'aise. J'ai téléphoné avec empressement à ma petite Lina qui était toute joyeuse de m'entendre au bout du fil. Elle me parla du décès de ma mère, du vide qu'avait laissé le départ de la sienne et l'on se promit une autre belle soirée lors de la remise des Golden Globe Awards qui devait avoir lieu le samedi suivant. J'étais certes arrivé plus tôt cette année, car je voulais aussi me rendre chez des agences de photographes, rencontrer des publicistes de plateaux, etc. Comme il n'était que 2 heures de l'après-midi à Los Angeles, je me suis dirigé vers le bar, histoire de me rafraîchir avec une bonne bière Michelob et j'ai fait la connaissance de Connie Masini, une dame dans la quarantaine qui était là avec son fils

Frank, âgé d'environ 25 ans. Comme les Américains sont très «friendly» surtout dans un bar, le «Hi!» ne se fit pas attendre et d'une phrase à une autre, j'appris qu'ils étaient là en vacances, qu'ils venaient de Boston, qu'ils avaient visité San Francisco. On me questionna sur ma profession et trois heures plus tard, nous soupions ensemble tous les trois. De toutes façons, Connie et son fils habitaient juste la chambre à côté de la mienne. C'est donc dire que je les ai croisés plusieurs fois lors de mon séjour.

Dès le lendemain matin, je recevais un appel de Daniel qui me demandait si je voulais aller avec lui chez la chanteuse Helen Reddy pour une entrevue. Helen Reddy a été fort populaire un certain temps et est en train d'effectuer un «come back» gigantesque à Hollywood. Elle est d'ailleurs l'interprète de la chanson «I am a Woman» qui prônait un féminisme très engagé. Militante comme ce n'est pas possible (ce n'est même plus à la mode), elle me reçut gentiment, me parla de sa carrière, refusa d'avouer son âge (45 ans) et me présenta son jeune époux d'environ 28 ou 29 ans. Comme elle avait cessé de fumer, il était interdit de fumer chez elle et le pauvre Daniel devait sortir pour aller tirer quelques bouffées dehors. Moi, je ne fume pas et ça ne me dérangeait pas, mais j'ai toujours eu horreur des fanatiques à ce point, surtout quand ils ont été des fumeurs invétérés. Je comprends les réels non-fumeurs, les allergiques,... mais pas les «nouveaux non-fumeurs» qui ne respectent pas les droits de ceux qui fument encore et qui ont oublié qu'ils ont pollué tout un régiment avant de penser à «leur petite santé». Chez moi, il y a des cendriers partout et je n'empêche personne de fumer... parce que je ne fume plus. Je l'ai d'ailleurs expliqué à Helen Reddy qui me trouvait trop indulgent... ce à quoi j'ai répondu que je la trouvais trop égoïste. Si elle m'a plu? Non, pas vraiment. Il y avait en elle une espèce de révolte contre tout ce qui s'appelle l'humanité et je n'aime pas ce genre de personne. Je n'ai vu ni tendresse, ni sensibilité dans son regard et encore moins dans sa façon d'être. Helen Reddy, une entrevue qui me «dérouillait» comme on dit, car il faut bien commencer quelque part et je préférais que ce soit avec elle qui me laissait froid qu'avec une personne passionnante pour laquelle je n'aurais pas encore été complètement «dégelé»!

De retour à mon hôtel, un dénommé Mister Smith m'avait laissé un message me demandant de le rappeler aux Studios Columbia. Je le fais et il m'annonce que suite à mes demandes, il était prêt à me faire rencontrer Stacy Keach (le fameux Mike Hammer) l'après-midi même si je voulais bien me rendre aux studios. Il m'interdit d'arriver avec un photographe car ils ont le leur et avec les unions,... pas d'étrangers sur le plateau. Je sautai dans un taxi et je me rendis jusqu'au bureau de ce publiciste, ce qui me coûta un beau petit $25. américain! Smith m'emmena sur le plateau de tournage dans une petite wagonnette électrique et j'ai apprécié cette randonnée à travers les allées de l'immense studio aux multiples édifices. De gauche à droite, en passant par le centre, nous sommes enfin arrivés et Smith me fait entrer dans le studio où l'on tourne actuellement un épisode de «Mike Hammer». Je vois Stacy Keach avec son imperméable qui sue sous les projecteurs. On tourne et on entend les «cut» et ensuite «action» et des «keep quiet» (silence on tourne) et j'ai passé trois longues heures à les regarder tourner une partie de cet épisode. Entre deux cafés, on me présenta à l'acteur qui m'offrit un café ou une liqueur douce et c'est sur le plateau que nous avons pris les photos. Pour l'entrevue, il me réservait une heure après l'enregistrement dans sa roulotte qui lui servait de loge. J'ai donc assisté à l'enregistrement au complet et si ça peut intriguer certaines personnes d'être présentes lors d'enregistrements, moi, ça m'a toujours ennuyé. Je n'aime pas la technique, je n'aime pas tout ce monde qui s'affaire, qui gueule ou qui flâne. Les entrevues, lors de tournages, sont les plus ardues car les acteurs sont souvent très fatigués par le travail accompli et nous risquons d'être dérangés sans cesse. Avec Stacy Keach, je n'eus pas à subir ces intrusions. Dès que nous avons regagné sa roulotte, il a fermé la porte, a demandé à Smith de ne pas être dérangé et m'a offert une bière pour ensuite me dire : «Monsieur, je suis tout à vous». Et j'ai fait avec lui une excellente entrevue dans laquelle il me parla de tout, de son récent mariage, de son bas-fond dans les drogues, de son emprisonnement et de la confiance des producteurs qui lui avait redonné son rôle après tout ce qui lui était arrivé. Sans doute à cause d'un passé très lourd, j'ai trouvé que Stacy Keach était profondément humain. J'aurais pu causer des heures avec lui et c'est avec joie que je lui tendis la main en lui souhaitant tout le bonheur possible dans sa carrière comme dans sa vie matrimoniale. Il me demanda de l'appeler chaque fois que je reviendrais à Hollywood, ce que je ne manquerai pas de faire. En sortant de sa roulotte, Smith me présenta la jeune actrice Caryn Richman qui avait tourné avec Stacy dans l'épisode du jour. Caryn n'était qu'une invitée, mais elle avait sa propre série «The New Gidget» qui marche très bien aux États-Unis. D'ailleurs, Dean Butler (Almonzo de La Petite Maison) jouait le rôle de son mari dans son émission. Caryn était plus que jolie et fort aimable. Avec elle, je convins d'une rencontre à mon hôtel la semaine suivante et elle me promit qu'elle allait venir. Je me disais : «Elle ne viendra probablement pas»... mais je me trompais, vous verrez.

Quoi de mieux qu'un bon souper pour se remettre d'une dure journée. J'avais pris rendez-vous avec Connie et son fils et nous sommes allés tous les trois au Butterfield où le poisson était à son meilleur. Là, j'ai pu dénicher une bonne bouteille de vin français, ce que mes amis ont fort apprécié. Un retour à l'hôtel, un digestif au bar et je quitte rapidement car une chanteuse de jazz gueulait de ses 46 dents, des airs que je ne connaissais pas. De toutes façons, j'ai horreur du jazz! Il va sans dire que j'étais fort heureux de retrouver mon lit et de composer avec mon décalage horaire. À la radio, il y a une station au 102 FM où on ne joue que de la musique classique. C'est donc sur une étude de Chopin que je pus m'endormir ce soir-là.

Enfin, une journée de répit et je n'étais pas pour m'en plaindre. J'avais de multiples coups de téléphone à placer et je voulais mettre aussi de l'ordre dans mon itinéraire. Vers midi, je suis allé prendre une bouchée avec mon ami, le journaliste Normand Vaughan, un Québécois, qui installé là-bas depuis assez longtemps, ne compte plus revenir ici. Comme vous pouvez le constater, il y en a qui s'adaptent... pas moi! Normand et moi avons causé du milieu artistique de Hollywood ainsi que du Québec, il m'a aussi parlé de tous ces gens du métier qu'il avait laissés derrière lui et dont il voulait des nouvelles. Il m'a causé de sa joie de vivre à Los Angeles, de sa petite vie privée et moi de la mienne et comme ça, d'un sujet à l'autre, le temps passa et quand vint le temps de nous quitter, on se promit de se revoir au moins un soir pour un souper et peut-être une sortie... s'il me restait encore des forces. L'après-midi est ensoleillé et j'en profite pour me rendre à pied à mon magasin préféré où l'on vends de vieux films. Cette fois, j'ai eu la main heureuse et c'est mon épouse, Micheline, qui a été ravie de me voir revenir avec «South Pacific», «Oklahoma», «Hello Dolly», «Cabaret» et «Easter Parade» avec Judy Garland. Micheline est une fervente des comédies musicales. Pour ma part, j'ai déniché le film «Gilda» avec Glenn Ford et Rita Hayworth ainsi que «Midred Pierce» qui avait valu à Joan Crawford l'Oscar de la meilleure actrice de l'année au moment où elle l'avait tourné. J'aurais pu en acheter d'autres, mais «on ne les donne pas, ces films»... et malheureusement pour moi, je ne suis pas le fils de Rockefeller! Petite journée bien à moi et je trouve en passant des boucles d'oreilles pour ma fille et un briquet assez original pour mon fils. Et le soir, je tombai d'aise dans les bras de Morphée.

J'étais allé déjeuner assez tôt le matin et en revenant à ma chambre, on m'avisa que l'actrice Dorothy Lamour m'avait téléphoné, mais qu'elle n'avait pas laissé son numéro pour que je puisse la rappeler. Comme je m'en voulais de n'avoir pas été là! Il y avait des années que je voulais la rencontrer et mon ami Smith, qui était un ami intime de Miss Lamour, le lui avait mentionné. Elle devait partir le lendemain pour rejoindre son fils à Honolulu et c'est ce qu'elle voulait me dire. Nous ne pourrions pas nous voir cette fois, mais elle aurait aimé me causer et me le dire de vive voix. Je m'en voulais... comme ce n'est pas possible, mais mon ami Smith m'a promis qu'à mon prochain voyage, nous irions

Faye Dunaway accepta d'emblée de me rencontrer.

Robert Goulet, un Canadien qui a réussi à Hollywood.

Une grande dame du cinéma, Barbara Stanwick.

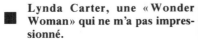

Lynda Carter, une «Wonder Woman» qui ne m'a pas impressionné.

■ Dean Butler, le mari de « Laura Ingalls », un gars parfait.

■ Bien oui, mesdames... j'ai rencontré vot[r]e John James.

■ Kristian Alfonso, la fiancée de « Beau » de « Days of our Lives ».

Alison et Steve Tracy tentaient de comprendre le français.

■ Michael Praed, le beau prince dans « Dynastie ».

■ Tristan Rogers de « General Hospital » que j'ai peu aimé.

Et voici Peter Reckell, « Beau » de « Days of our Lives ».

■ **Philip-Michael Thomas de «Miami Vice».**

■ Heidi Bohay, de «Hôtel», était fière d découvrir son poster dans Le Lundi.

■ Les plus de 40 ans se rappellent de Virginia Mayo.

■ Gena Rowlands, une actrice très en vue.

■ Avec Abby Dalton de «Falcon Crest» chez son photographe.

■ Celle dont j'ai vu tous les films, June Allyson.

Le très respecté Cesar Romero de «Falcon Crest».

Pamela Bellwood, de «Dynastie», n'a reçu que moi ce jour-là.

Avec le célèbre Gene Hackman, un privilège pour moi.

Avec la blonde incendiaire Joan Van Ark.

À Santa Barbara chez l'acteur John Beck.

Avec Gordon Thomas, le terrible Adam de «Dynastie».

Kari Michaelsen, vedette de «Gimme a Break».

Jane Russell me reçut dans sa maison de Santa Barbara.

Taryn, la fille de Tyrone Power, était fort jolie.

Un après-midi entier avec Grant Goodeve.

Telly Savalas m'impressionna grandement.

Caryn Richman vint me rejoindre à mon hôtel.

John Ritter, un homme très sérieux dans la vie.

Stacy Keach, le fameux « Mike Hammer » de la T.V.

Alison Arngrim a maintenant 25 ans.

Lindsay Bloom, de «Mike Hammer», m'invita chez elle.

Anthony Perkins me reçut chez lui avec sa tendre épouse.

James Farentino passa un après-midi en ma compagnie.

Le jeune Ricky Schroder lor d'un tournage de «La Belle Vie»

Chris Lemon, le fils de Jack, ressemble beaucoup à son père.

Lauren Tewes, «Julie Mc Coy», dans sa nouvelle vie.

■ Shalane McCall, la petite nouvelle de «Dallas».

■ Vous vous souvenez de la chanteuse Helen Reddy?

■ Steven Spielberg était heureux de me parler de «E.T.».

■ Joan Collins, une femme qui a tout pour être une bonne «Alexis».

Hervé Villechaize était impressionné de découvrir son poster dans Le Lundi.

Chez Melissa Gilbert, il avait son frère, sa mère sa petite soeur Sara.

Tippi Hedren, celle qui a été la vedette du film « Les Oiseaux ».

Betty White n'avait que des sourires pour moi.

C'est à tête reposée que «Madame Ingalls» lit son Lundi.

Anthony Perkins «Monsieur Psycho» a beaucoup aimé Le Lundi.

En compagnie de Katherine Helmond de
Who's the Boss».

Robert Hays, héros de «Starman»,
un homme plus que gentil.

Jaclyn Smith, une «drôle de dame» extrême
ment belle.

Robert Wagner, un homme courtois mais assez distant.

Julie Andrews et moi, quel privilège j'ai eu ce
soir-là.

Assez «sexy» votre John James... même quand il lit son Lundi !

Beatrice Arthur, une «femme en or» aimable et sympathique.

Danny De Vito, un petit homme de grande valeur.

Peter Strauss, beaucoup plus beau de loin... que de près.

Gene Hackman, acteur émérite, a aussi apprécié le Lundi.

Sally Kellerman était en beauté lors de notre rencontre.

Stephanie Beacham, une très belle femme dans la force de l'âge.

dîner ensemble tous les trois. Remarquez que je n'avais jamais dit à Smith qu'à un certain moment, Dorothy Lamour m'avait demandé par l'entremise de son publiciste une somme d'argent pour m'accorder une entrevue. Oh! que non!... car je sais que la prochaine fois, elle sera à table avec moi!

J'avais aussi un autre message et c'était de la part du publiciste du jeune Ricky Schroder de Sliver Spoon, «La Belle Vie». Je le rappelle et il me demande de me rendre aux studios ABC afin de rencontrer la jeune vedette après le tournage de son émission. J'acceptai de bon gré, mais comme je vous l'ai déjà dit, je déteste faire des entrevues après un tournage et cette fois, ça semblait être mon lot. Ricky Schroder n'est plus le petit blond du commencement. Il a maintenant 17 ans, se veut fort populaire, mais moi, je ne lui ai rien trouvé de spécial physiquement. Blond, les cheveux très courts, le nez trop large, il ressemblait à tout jeune Américain dont la croissance n'est pas terminée. Il était loin d'avoir le charme d'un Matthew Laborteaux, mais il était quand même très sympathique. D'ailleurs, ce n'est pas ce que je peux dire qui va empêcher les petites filles d'en être folles. Son fan club est là pour le prouver! J'attendis donc que l'épisode se termine et pour les photos, nous n'avions que trente secondes, car les éclairages de studios n'ont pas de sursis. Comme j'étais là avec Dan, un autre photographe engagé sur le vif, on se tira fort bien d'embarras côté photos et je pus ensuite m'asseoir bien tranquillement avec Ricky qui me raconta son succès dans l'émission et auprès des filles. Sa mère était là qui écoutait tout ce que nous disions. Sa mère, c'est aussi son manager! Ricky me parla de ses études, de ses rêves et je le sentis très charmant et heureux de se confier à un journaliste étranger. Très poli, il écoutait chaque question et prenait son temps pour y répondre. Il était très content d'apprendre que son émission était maintenant traduite en français et je lui avouai que nous avions placé plus d'une fois son poster dans nos pages centrales du Lundi. Avec lui, ce fut «la belle vie»... et un bel après-midi. Il me présenta également à sa bonne copine Erin Gray qui joue aussi dans l'émission et un tas d'autres petits gars et petites filles qui y figuraient. Comme le public est admis lors des enregistrements, il y avait là un tas d'adolescentes qui m'en voulaient de le garder à moi. Conscient qu'elles aussi venaient de loin, je finis par leur rendre leur idole et je repartis en lui souhaitant un bel avenir. À l'extérieur, je m'écriai: «Enfin de l'air!» Je ne sais pas encore pourquoi, mais j'étouffe dans ces studios surchauffés par les éclairages, et la nervosité qui s'en dégage m'irrite terriblement.

De retour à mon hôtel, je reçus un appel de Normand Vaughan qui m'invitait à souper et à festoyer avec des amis. N'ayant rien à faire, ce fut avec joie que j'acceptai l'invitation. C'est ainsi que je me retrouvai avec Normand, Jessie et Mark au restaurant « Le Patio » où c'était passable. De là, une bonne tournée de boîtes de nuit dont « The Eagle » pour ensuite terminer la soirée au bar de mon hôtel où je leur offris le digestif. Contrairement à moi, eux ont aimé la chanteuse qui « beuglait » du jazz et je l'ai supportée pour ne pas leur déplaire. J'ai vraiment été bon pour eux !

Je ne peux pas dire que je suis nettement en forme en ce samedi et c'est pourtant la remise des trophées ce soir. J'ai une espèce de petit « hangover » de la veille et les deux cachets d'Aspirine avalés sont déjà à l'oeuvre. Heureusement que j'avais la journée pour m'en remettre et qu'un bon repos dans une chaise longue m'a été bénéfique. Ce soir, je suis en forme... il le faut ! J'enfile mon smoking, ma chemise blanche et mes boutons de manchettes, mais contrairement aux années précédentes, je délaisse l'horrible boucle noire pour une cravate de soie dans les tons de gris et noir avec une ligne abstraite bourgogne juste au centre. Lina vint me chercher et trouva que ma tenue était fort élégante. Elle préférait nettement la cravate à la boucle, clamant que tous les hommes en noir avec boucle noire, avaient l'air de « waiters » !... et elle n'avait pas tout à fait tort. Nous arrivons en grande pompe au Beverly Hilton et encore une fois, c'est l'hystérie collective à la porte. Je ne sais pas si je vois double ou quoi, mais j'ai l'impression que d'une année à l'autre, il y a de plus en plus de monde à l'entrée des artistes. Malgré ce fait, les entrevues allaient mieux se dérouler que l'an dernier alors que nous étions coïncés les uns sur les autres. Cette année, l'atmosphère semblait plus dégagée. Il y avait plus d'air à respirer... et j'en avais plus que besoin suite à ma veille !

Les vedettes entraient en trombe pour fuir la foule en délire et j'avais du mal à en saisir quelques-unes au passage. La première que je pus aborder fut la délicieuse Joan Van Ark que l'on voit régulièrement dans « Dallas » et « Knot's Landing ». Très amicale, très volubile, elle me jasa longuement et je la trouvai tellement fine que j'avais peine à la laisser partir. Cheveux blonds et raides sur les épaules, elle portait un magnifique fourreau noir en brocart et je la félicitai de son bon goût. Nous étions en train de parler quand elle tira son amie Betty White par la manche en lui disant « Hi Betty ! I want you to meet this gentleman ! » C'est donc grâce à elle si je pus m'entretenir pendant un bon vingt minutes avec l'une des populaires « Golden Girls » (Les femmes en or), émission qui obtient un succès fou aux États-Unis et qui je l'espère, aura la même cote d'écoute chez les francophones. Betty White est une femme très jolie qui a derrière elle une carrière très prolifique. Quelque peu timide, elle me confia que sa plus grande crainte était un jour de perdre la santé... mais qu'elle y veillait cependant. L'entretien fut valorisant et le naturel émanant de cette personne me fit momentanément oublier qu'elle était une vedette. Je venais tout juste de la quitter et je me dirigeais vers le bar afin d'y chercher une eau Perrier quand Lina me tire par la manche en me disant : « Ne partez pas, vous n'allez tout de même pas manquer celle-là ! » J'avais beau la regarder que je ne la reconnaissais pas. Lina réalisant mon embarras m'en tira en s'écriant : « Mais voyons, c'est Jaclyn Smith ! » Je me réveillai d'un coup et je ne sais si c'est la torpeur, mais en deux temps trois mouvements, j'étais à ses côtés à l'inviter à m'accorder une entrevue, ce qu'elle accepta avec l'assentiment de son époux. Je l'imaginais beaucoup plus grande et comme elle avait une coiffure bouclée, elle aurait certes passé inaperçue à mes yeux. Je parlai à Jaclyn des « Drôles de Dames », de son rôle de « Jackie Kennedy » et de plusieurs autres films... Je lui parlai de ses enfants, de l'amour, de ses passions... mais je n'avais pas la partie facile pour lui parler de Dennis Cole avec le mari qui était juste à côté. Un visage parfait, des lèvres sensuelles, de très beaux yeux, Jaclyn Smith a tout de la réelle « cover girl« américaine. Pas surprenant que le shampooing Breck l'ait signée à coups de millions un certain temps. Elle fit un petit effort en français, ce qui fit bien rire son mari quand elle me dit, en me quittant : « Ça fut plaisir pour moi. » Elle savait qu'il y avait erreur, mais je lui déclarai que l'effort valait bien souvent... la perfection !

Décidément, j'étais parti sur une pléiade de femmes... car juste après Jaclyn, sans même avoir pu aller chercher mon eau Perrier, j'étais là, la gorge sèche à causer avec Tippi Hedren que Lina venait de me présenter. Tippi Hedren, c'est cette très jolie blonde qui avait joué dans le film de Alfred Hitchcock « The Birds » (Les Oiseaux), qu'on passe encore souvent à la télévision. Tippi avait ensuite tourné dans « Marnie » et on n'entendait presque plus parler d'elle depuis. Le plus étrange, c'est qu'elle n'était pas là pour elle ce soir-là, mais plutôt pour sa fille, la jeune actrice Melanie Griffith qui était en nomination pour son film « Something Wild ». Tippi ne faisait qu'accompagner sa fille et c'est pourtant elle que tous les journalistes voulaient. Elle avait beau leur dire que c'est à Melanie que revenait l'honneur de cette soirée, personne n'avait oublié Tippi Hedren dans « The Birds », un film qui fit trembler de peur les plus coriaces. Sa fille, quoique déçue, (ça paraissait) avait beau lui dire : « Allons, maman, tu vois bien qu'on ne t'a pas oubliée ! » Tippi refusait plusieurs entrevues mais accepta la mienne parce que j'étais francophone et que j'avais sans doute une bonne raison de ne pas connaître encore sa fille. Sachez que je savais fort bien qui était Melanie Griffith à l'écran et qu'elle avait été de plus l'épouse de Don Johnson, mais je n'en laissai rien paraître lui disant que j'avais l'âge du film « The Birds » ce qui la fit bien rire. Je fis une bonne entrevue avec elle et je la trouvai ravissante même si elle avait perdu de ce charme « mannequin » si cher à Hitchcock. Cheveux frisés, visage basané par le soleil, Tippi Hedren avait maintenant l'air d'une bonne mère de famille et non plus de la « star » qui avait succédé à Grace Kelly. L'important, c'est qu'elle était heureuse... très heureuse !

Enfin, les photographes sont braqués sur un homme et si je l'approche, ça va faire changement de ces entrevues féminines réalisées à date. Mon sujet n'est nul autre que Robert Wagner qui semble pourtant réticent à parler à ceux qui osent s'approcher. Bon, j'y vais, je fonce, mais j'attends d'abord que la meute l'ait dégagé. Il avait à peine retrouvé son souffle que je l'approchai calmement, discrètement... et mon truc a marché. Heureux de se sauver de ces cannibales, il me suivit à l'écart et je pus bavarder avec lui pendant que Lina revenait enfin avec mon eau Perrier. Robert Wagner en aurait eu long à dire, mais il semblait redouter les questions. Il est ainsi paraît-il depuis la mort tragique de sa femme, la très belle Natalie Wood. Il est évident que j'évitai le sujet et je me contentai de parler carrière et de son émission « Hart to Hart », ce qui sembla le ravir. Je lui parlai quelque peu de ses enfants, mais à peine car il était vraiment sur ses gardes. Je le quittai après m'être assuré que son publiciste m'enverrait encore plus de détails sur ses origines, ce qu'il me promit. À Hollywood, on est de parole... puisque deux jours plus tard, je recevais à mon hôtel, le curriculum complet de Bob Wagner.

Et voilà qu'une autre vedette masculine s'approche, un gars superbe et que j'ai admiré dans la mini-série « Peter The Great » (Pierre Le Grand). Jan Niklas était fort différent en personne que dans ce rôle où il avait si bien joué son personnage. Très élégant, les cheveux longs et lisses « à la Tarzan », il ne portait plus la moustache et affichait un sourire de circonstance dont tous les photographes s'emparèrent. Selon Lina, qui savait tout ou presque, il voulait à tout prix décrocher un trophée ce soir-là... et il l'a eu ! Je pense qu'on a dû entendre son coeur battre jusqu'à Londres tellement il était fier de cet hommage. Ce bel Allemand avait réellement de la classe et du maintien. Un peu dans le style Michael York lors de notre rencontre. Il avait certes joué dans plusieurs films en Allemagne, mais comptait bien conquérir le monde entier. Sa mini-série de 9 heures « Pierre Le Grand » lui valut tous les mérites en ce soir de gala et c'est avec joie qu'il accepta de poser avec moi plus d'une fois... pour être sûr et certain que j'allais solidement l'implanter au Canada !

Le temps d'aller au petit coin (l'eau Perrier, vous savez !) et je reviens en vitesse. Ah ! j'oubliais, au petit coin de ce luxueux hôtel, on vous fournit l'eau de Cologne, le cirage à chaussures, le fixatif à cheveux et il y a là deux Noirs qui vous époussettent pendant qu'un troisième vous offre une débarbouillette. Essayez de sortir sans laisser de pourboire... pour voir !

Je revenais parmi la foule et Lina me cria : «Où étiez-vous? je vous cherchais comme une folle!» J'étais assez mal placé pour lui dire devant tout le monde... d'où je venais, mais qu'importe, puisqu'une grande et belle femme fait son apparition dans une robe très décolletée. Je la regarde de plus près et je reconnais Connie Sellecca, la très belle vedette de «Hôtel». Il ne fallait pas que ma cassette s'en prive et c'est tout de go que je l'abordai tout en l'entraînant de gré ou de force. Non, je plaisante, puisque c'est de bon gré que Connie me suivit, ravie d'apprendre qu'elle avait beaucoup de succès au Québec. Comme elle était belle... et comme elle était grande. Lina, de ses 4 pieds 10 pouces, me chuchota :«Mais qu'est-ce qu'elles ont à être si grandes? Est-ce moi qui n'ai pas assez reçu de coups de pieds au derrière?» Je faillis m'esclaffer car j'étais sûr que je serais une fois de plus «guillotiné». Effectivement, avec Connie Sellecca, j'ai eu encore la tête sur le bûcher. Une voix très douce, de belles manières et Connie m'avoue qu'elle n'espérait jamais tout le succès qu'elle avait mérité avec cette émission. Elle me parla en bien de James Brolin et me fit part de projets... pas encore concrets. Bref, cette femme avait tout de la vraie vedette de Hollywood. De la tête jusqu'aux pieds, elle était faite pour les caméras. De plus, elle avait du talent. On l'aurait commandée sur mesure qu'on n'aurait pu faire mieux. S'il manquait une étoile au firmament de la célébrité, je venais de la croiser... en toute beauté!

Tiens! Un acteur que je connais sans trop le connaître. Pourtant, Dennis Hopper est un nom prestigieux à Hollywood. En 1969, il avait fait sa marque dans «Easy Rider» mais depuis, Hollywood lui avait tourné le dos. Je vous avoue qu'avec toutes les vedettes qu'il y avait là, je n'étais guère intéressé par cet acteur, mais Lina y tenait tellement que je le rencontrai pour lui faire plaisir. Il est vrai que Hopper était en nomination pour son film «Hoosiers» mais il s'est fait voler le trophée par Tom Berenger qui gagna avec «Platoon». Il me parla de ses films avant sa chute comme «Rebel Without a Cause» et «Giant» avec James Dean. Il revient en force à 50 ans, mais pour combien de temps? L'entretien fut agréable et Dennis Hopper me confia qu'il n'aurait aucune difficulté à être maintenant «un vieux monsieur». Je ne voulus guère en savoir davantage.

Là, je n'étais pas de bonne humeur et Lina eut droit à une verte semonce. Je lui ordonnai fermement de me laisser choisir «mes invités» et de se contenter de prendre des photos. Pendant que j'étais pris avec Dennis Hopper, Anthony Quinn avait fait son entrée et je l'avais manqué. C'est d'ailleurs lui qu'on honorait ce soir-là du trophée Cecil B. De Mille et c'était fort bien mérité. Je suis sûr que j'aurais pu l'obtenir en entrevue et je m'en voulais tout autant qu'à Lina. Par la suite, je regrettai de m'être emporté avec Lina et je m'excusai de mon attitude, mais je pense qu'elle en tira une leçon... car dès lors, elle se mêla de ses affaires.

Quelle vision! Quelle magnifique apparition! J'étais à deux pas d'elle et j'en étais ébloui. Elle me regarda, comme ça, sans aucune raison, et j'en profitai pour l'aborder. Julie Andrews était impressionnante dans cette dignité qui la caractérise si bien. Les yeux moqueurs, elle est quand même très altière, quoique gentille... pour une Anglaise. Bien sûr qu'on parla de son film «The Sound of Music» et aussi de «Mary Poppins», mais j'étais encore plus heureux de lui parler de «Victor, Victoria» qui me l'avait fait découvrir sous un autre aspect. Elle était en nomination pour la meilleure actrice à cause de son film «Blake Edward's That's Life» et je pense que si elle avait su qu'elle n'allait pas gagner, elle ne serait jamais venue. C'est Sissi Spacek qui lui vola la palme avec «Crimes of the Heart». Peu mondaine, Julie Andrews fuit les soirées de ce genre et n'est pas cordiale avec la foule. J'ai remarqué que les gens hésitaient beaucoup à l'approcher. C'est comme si elle avait le don de les figer sur place. Très loin de l'image de la baronne Von Trapp, Julie Andrews était une autre femme dans la vie. J'ai aimé ce privilège qui me fut octroyé de lui causer, mais à la fin, je ne m'écriais plus «Quelle vision»! «Quelle apparition!» Julie Andrews ne m'avait pas donné de frissons!

Je prends une chaise, le temps de me reposer les jambes quelques minutes et de contrôler ma circulation sanguine. Je prendrais bien une autre eau Perrier, mais nous sommes loin du bar en question et j'avale ma salive alors que Lina, timidement, me fait signe en donnant un coup de tête à gauche. C'était Beatrice Arthur, une autre des «Golden Girls». Je pense qu'elles étaient toutes là ce soir-là. Je m'approche et j'entame une conversation. Très affable, elle me dit adorer le Canada et être venue à Montréal souvent où elle a de la parenté. Elle a cette voix très grave qui fait son charme dans l'émission et elle accepte volontiers de prendre des photos avec moi. On l'approchait, certes, mais j'oserais dire qu'elle ne jouit pas de la même popularité que Betty White. Fine, très attentive à mes questions, je n'eus rien à lui reprocher sinon le fait qu'elle n'avait rien, mais absolument rien... pour m'impressionner!

Ça marche rondement ce soir et une entrevue n'attend pas l'autre. De plus, comme je le disais, nous étions moins compressés que l'an dernier et je n'étais pas autant stressé que d'habitude. Par contre, je commençais à être bigrement fatigué et Lina allait me suggérer de prendre quelques minutes de répit quand je vis des éclairs et entendis des cris de partout. Bon, qui donc était la vedette qui entrait?... me dis-je. Lina revint vers moi en courant et en me disant: «Denis, c'est Steven Spielberg» et son épouse Amy Irving. Steven était là parce que son épouse était en nomination pour un trophée qu'elle ne remporta pas.

Amy Irving, pour ceux qui ont de la mémoire, avait débuté au cinéma dans le film «Carrie». C'était la jolie petite brunette dont la main sortait brusquement de terre à la fin du film. Une scène à vous couper le souffle, vous vous rappelez? Malgré sa réputation de bonne actrice, Amy Irving était complètement enterrée par la célébrité de son mari. L'illustre Steven Spielberg, le père de «E.T.», l'auteur de «Back To The Future», le cinéaste de tous les meilleurs films de Hollywood, était la cible de tous en cette soirée... lui qui a horreur de ce genre de manifestations. Même les acteurs lui faisaient de l'oeil dans le but d'obtenir un rôle éventuel dans l'un de ses films. Aveuglé par les éclairs, il réussit à se frayer un chemin et je lui touche le bras en lui demandant si je peux l'entraîner à l'écart le temps qu'il retrouve la vue. Sa femme me sourit, me dit: «Vous n'êtes pas Américain, n'est-ce pas?» Je réponds que non et elle m'avoue avoir pensé que j'étais un Danois, Allemand ou Suédois, à cause de mon accent. Quand je lui dis que je suis Canadien français, il éclate de rire et me dit: «Allons où vous voulez avant qu'on ne m'assomme avec les appareils». À l'écart, j'entendais les autres journalistes «sacrer» après moi qui le leur avait enlevé. Steven Spielberg me parla de ses films, de ses succès, de sa charmante petite femme et sachant qu'il avait horreur des photos, j'osai lui demander si l'on pouvait en prendre quelques-unes ensemble. Il me sourit et me répondit: «Maintenant que je vois, pourquoi pas?» Lina n'en revenait pas et se demandait ce que j'avais bien pu lui dire pour me l'approprier ainsi. Question de chance, tout simplement. On causa du Canada, de notre climat et quand vint le temps de nous quitter, je lui dis en farce: «Si jamais vous tournez une autre version du «Bossu de Notre-Dame», vous penserez à moi!» Il me regarde étonné et me demande: «Êtes-vous également un acteur?» J'éclate de rire et lui réponds que non... mais que E.T. ne l'était pas avant de le devenir. Steven Spielberg éclata à son tour d'un franc rire, Amy également et me lança: «S'ils ont tous votre humour au Canada, on ne doit pas s'y ennuyer!» Pourtant, moi qui suis pince-sans-rire!

Après avoir réussi un aussi bon coup que d'enlever à tous un Steven Spielberg, plus rien ne me fascinait. Je me sentais comblé, si comblé, que j'avais presque le goût d'arrêter et d'aller prendre place à ma table. Lina voulait bien se plier à mes exigences, mais je ne pus m'exécuter car, juste à côté, acclamée par la foule, Loretta Young faisait son entrée. Que de souvenirs pour moi que cette grande actrice. Je me rappelle encore de ses premiers films en noir et blanc dont «Come to the Stable» dans lequel elle incarnait une religieuse et que j'avais vu au moins dix fois. Loretta Young devant moi... en personne, ça ne se pouvait presque pas. Ah! si seulement ma mère eut été encore de ce monde, je l'aurais sûrement appelée de Los Angeles. Ma mère adorait cette actrice, c'était sa préférée. J'admirais cette grande dame du cinéma qui, à 74 ans, en faisait à peine 54. C'était un peu comme au moment où j'avais rencontré Barbara Stanwick. Les légendes, les immortelles m'impressionnaient beaucoup... car c'était là l'image que je m'étais faite, enfant, de ce Hollywood en diamant. C'étaient elles mes «étoiles»... pas les nouvelles. Alors, quand j'étais face à l'une d'elles, j'avais l'impression de perdre tous mes moyens. Interviewer une Loretta Young, ce n'est pas comme causer avec une débutante. Il faut du tact, de la maîtrise, du savoir, et avoir juste assez de gris sur les tempes... pour être crédible. Loretta Young nota que j'avais juste l'âge qu'il fallait pour lui parler de quelques films en noir et blanc et un merveilleux dialogue s'ensuivit. Elle était là en nomination pour le film «Christmas Eve», un très beau film qui m'a fait pleurer... et elle a gagné. La foule était debout à l'ovationner, à l'applaudir comme seule une «star» de ce calibre peut se le mériter. Lorette Young, avant de me quitter, m'avait tendu sa main gantée et ornée d'un large bracelet en onyx et je lui avais souhaité «bonne chance». Elle m'avait dit: «Oh! vous savez, le seul fait d'être en nomination...» et pourtant et pour cause, elle remporta devant des millions d'Américains, le plus beau trophée de sa vie. Je ne me rappelle pas avoir autant applaudi!

Après une telle rencontre, je vous jure qu'on reste abasourdi. Je n'avais plus de souffle et encore moins de voix. Les fumeurs de cigares étaient là comme à chaque année à empester la pièce et à nous causer des nausées. J'étais réellement fatigué, mais pas assez pour ne pas m'asseoir avec Tony Danza, le héros de la série «Who's the Boss» qui passe actuellement en français au petit écran avec le titre «Coeur à tout». Je vous assure qu'après une Loretta Young, ce n'est pas un Tony Danza qui m'intimidait, d'autant plus qu'il était imbu de lui-même et pas plus sympathique qu'il le faut. De toutes façons, chaque année, Tony Danza fait partie de cette soirée et y passe la majeure partie de son temps «au bar» à parler fort et gesticuler, sans même écouter ce qui se passe sur la scène. Ce soir-là, il était en nomination comme meilleur acteur d'une série, mais il ne gagna pas. C'est d'ailleurs le seul moment de la soirée où il fut attentif. Il accepta bien sûr l'entrevue ainsi que les photos, mais j'avais l'impression d'être avec la copie conforme d'un Erik Estrada. Dès que l'entretien fut terminé, il s'empressa de retourner au bar où l'attendait son ami Bruce Willis qui trinquait joyeusement avec lui. Ne dit-on pas que qui s'assemble... se ressemble?

Lui, il est vraiment plus gentil, plus gentleman quoique timide. Je parle ici de John Ritter que Lina me présentait et qui acceptait de s'asseoir avec moi pour un entretien particulier. Très différent de son rôle dans «Vivre à Trois», John Ritter se veut dans la vie un homme très sérieux qui ne sourit pas à n'importe qui... pour n'importe quoi. Il semblait anxieux car il était en nomination comme meilleur acteur pour un film tourné pour la télévision. Je n'ai pas vu «Unnatural Causes» mais c'est James Woods qui remporta la palme avec «Promise». John Ritter m'avait dit à quel point ce trophée pourrait être important pour lui, mais le destin en avait décidé autrement. Il en avait marre de son rôle de «Jack» dans «Vivre à Trois» et voulait tellement se prouver dans quelque chose de plus profond. Mais que voulez-vous, quand un rôle vous marque, vous êtes marqué pour longtemps. John Ritter vit avec une étiquette... tout comme notre «Donalda»!

Comme c'est curieux. Dès mon arrivée à Hollywood, j'avais tenté par tous les moyens d'obtenir une entrevue avec Sally Kellerman, vedette de «Mash», et madame refusait parce qu'elle ne voulait pas être photographiée par n'importe qui. Je me disais: «Que le diable l'emporte!», quand ce soir-là, je la vis entrer dans toute sa splendeur dans la grande salle de bal. La première chose que je fis, c'est de dire à Lina: «Suivez-moi et surtout ne dites rien». Je m'approche de Sally Kellerman et, sans me nommer de peur qu'elle se rappelle du nom du journaliste qui ne voulait pas son photographe, je lui demande si elle accepterait de prendre une photo ou deux avec moi pour le Canada. «Sure, with pleasure!» me dit-elle et voilà que celle qui ne voulait pas être photographiée par n'importe qui venait de se faire croquer sur le vif... par ma petite Lina. Maintenant que le chat était dans le sac, je lui demandai une entrevue qu'elle m'accorda avec un rituel comme si elle avait été Greta Garbo. Elle était si prétentieuse, si «star» que je manquais de partir à rire quand elle se voulait plus que sérieuse. Après mon entrevue avec elle, je m'approchai de Lina et lui racontai l'histoire du photographe que je ne voulais pas payer, etc., et elle de me dire: «Heureusement que je n'en ai rien su avant, car j'aurais eu un trac fou à la photographier.» Le plus cocasse, c'est que la photo de Sally Kellerman est l'une des plus mauvaises de ma série!

Et voilà qu'une autre dame très élégante fait son entrée sous un tollé d'applaudissements. Il s'agit de Stephanie Beacham, l'une des principales vedettes de la série «The Colby's». Très belle, coiffée de main de maître, taille fine, elle avait un regard tendre et un sourire timide. C'est curieux comme ces vedettes qui font pourtant un métier public peuvent être gênées dans leur vie privée. Elle était facile d'approche et douce comme un ver à soie. Je remarquais cependant qu'elle avait de la difficulté à me suivre. Pendant que quelqu'un nous dérangeait, Lina en profita pour me chuchoter à l'oreille qu'elle souffrait de surdité. (Je vous l'avais bien dit que c'était contagieux, non?) Heureusement que je n'ai pas eu à m'entretenir avec Marlee Matlin, vedette de «Children of a Lesser God»... car celle-là, en plus d'être sourde, elle était muette! Ceci dit sans méchanceté, il va sans dire, et je pus avoir avec Stephanie

Beacham une conversation fort agréable. On voulait qu'elle soit dans «The Colby's» ce que Joan Collins était dans «Dynasty», mais c'était peine perdue. Aucune «garce de composition» n'avait pu détrôner la Collins... et pour cause!

Un fort gentil petit homme que ce Danny De Vito qu'on a pu applaudir dans la série «Taxi» avant de le voir dans des films tels «Jewels of the Nile» et «Ruthless People», pour lequel on l'avait mis en nomination. Il n'a pas gagné, mais ça ne l'a pas empêché de garder le sourire et de me serrer la main avec énormément de chaleur. Tous semblent l'aimer à Hollywood et tout ce qu'on entendait à gauche et à droite, c'était des «Hi! Danny» ou «Hello there!». Très humble, ce petit homme quasiment nain sans être difforme se prêta de bonne grâce aux photos de la chère Lina qui n'eut pas à le regarder en se cassant le cou pour une fois. Danny De Vito me parla de la compétition qu'il y avait à Hollywood et de la chance qu'il avait à cause de sa petite taille à décrocher des rôles sur mesure. J'eus beaucoup d'agrément à causer avec lui et il m'offrit même une eau Perrier que j'acceptai de bon coeur. Il semblait vraiment sympathique à tous, je me suis pris d'affection pour lui à première vue... et ce fut réciproque.

Je commençais à avoir hâte que la soirée se termine et c'était maintenant l'heure du repas gastronomique. Je me rendis à la table de la «Foreign Press» et je retrouvai quelques personnes de l'an dernier plus une dame à mes côtés que je ne connaissais pas. Elle se présenta comme étant Argentina Brunetti et Lina me murmura à l'oreille: «Vous savez, c'est une actrice!» Je fis mine de rien et lui demandai, tout en conversant, quel était le rôle qu'elle jouait présentement à la télévision. Elle me répondit: «Sûrement pas un rôle dans lequel vous me voyez puisque l'émission passe en plein jour. Je suis Filomena, la grand-maman dans «General Hospital». Bien sûr que j'ai déjà vu cette émission, mais à une ou deux reprises seulement. Argentina Brunetti en profita pour me raconter sa vie et me dire qu'elle avait hérité de son prénom parce qu'elle était née, par accident, en Argentine. Elle avait joué dans plusieurs films et ses débuts remontaient alors qu'elle avait environ 30 ans et qu'elle jouait dans le film «Gilda» avec Glenn Ford et Rita Hayworth. Depuis, on lui confiait des rôles d'Indienne, d'Italienne, de gitane, de Mexicaine, etc., à cause de son terrible accent. Argentina Brunetti m'accorda donc avec plaisir une belle entrevue et Lina prit les photos d'usage. Avant de partir, applaudissant à tout rompre une vedette qu'on venait d'honorer, madame Brunetti, une charmante femme dans la soixantaine, s'écria en regardant Lina: «Un jour, c'est moi que vous verrez sur ce podium!»

Le repas était succulent. Entrée de fruits de mer, (que je n'aime pas) filet mignon avec légumes et pommes de terre au four, poires flambées, pain à l'ail, salade italienne et j'en passe, mais je m'en voudrais d'oublier l'excellent vin rouge importé de France dont j'ai oublié le nom. Comme je mange très vite et que Lina se nourrit comme un poussin, il va sans dire que nous étions à l'affût des vedettes beaucoup plus que des desserts. Les présentateurs de la soirée étaient Cheryl Ladd et William Shatner, mais miss Ladd ne descendait jamais de scène, donc, impossible de m'en approcher. Je notai qu'à deux tables de la mienne se trouvait l'actrice Katherine Helmond, vedette de «Who's the Boss» (Coeur à tout). Elle était là avec sept autres personnes et je vous avoue qu'il fallait avoir du culot pour aller occuper une des chaises vides et l'interrompre en pleine conversation. Je suis un homme bien élevé et ma mère m'a enseigné les bonnes manières, mais l'heure avançait et je n'avais plus de temps à perdre. Je me rendis à sa table et je m'excusai infiniment de l'interrompre. Je lui avouai que j'avais une folle envie de la connaître, de la présenter à mes lecteurs... et Katherine Helmond fut conquise! Elle m'invita à prendre place à ses côtés et c'est pendant que tout le monde parlait et que quelques-uns écoutaient que je fis une entrevue avec elle. Plus fine qu'elle, ça ne se peut quasiment pas. Humble au possible, elle me causa comme si on se connaissait depuis vingt ans et plus le temps passait avec elle, plus j'avais l'impression de jaser avec une voisine de patio. Katherine Helmond affectionnait beaucoup les acteurs de son émission et l'on sentait que ce rôle était très important pour elle. Sans être belle, elle n'était point laide avec ses cheveux roux, ses yeux trop profonds et son visage de cire. Elle avait un rire franc et quand je partis, elle me lança en anglais: «Dennis, we will have to meet again!» J'ai oublié de vous dire depuis le début que pour les Américains, j'étais «Dennis» et non Denis, qu'ils ne savent même pas comment prononcer!

Je me rendais une fois de plus... vous savez où, car l'eau Perrier et le vin... bon passons. J'empruntais la grande allée quand, rendu dans l'autre petit couloir, je sens une main sur mon épaule et quelqu'un qui me dit: «Dennis, how are you?» Je me retourne et je suis face à face avec Gordon Thomson que je n'avais pas vu entrer. Quelles belles retrouvailles! Gordon était fidèle à sa parole et n'avait pas oublié notre pacte de l'an dernier. Il m'a dit: «Je vous l'avais dit que je ne vous oublierais pas, n'est-ce pas? Je n'oublie jamais les gens que j'aime». J'étais ravi de le revoir et encore plus d'avoir de ses nouvelles. Il était plus svelte que l'an dernier et portait maintenant les cheveux plus courts, ce qui lui donnait un air d'adolescent. Je n'en revenais pas! Gordon a tout de même 42 ans! Nous étions en train de causer de choses et d'autres quand une jeune femme s'approcha de nous et s'excusant de nous interrompre, remit une petite carte à Gordon. Du même coup, elle lui dit: «J'habite cet hôtel et je vous ai inscrit le numéro de ma chambre. Après la soirée, nous faisons une partouze et j'aimerais bien que vous soyez des nôtres. » Me désignant, elle ajouta : « And of course, you may bring your friend ! » Je n'ai jamais compris au juste ce qu'elle avait voulu insinuer, mais chose certaine, Gordon mit la petite carte dans ses poches en me disant : « Elle peut toujours m'attendre avec son party ! » Il recevait sans cesse ce genre d'invitations, c'était plus qu'à la mode à Hollywood. Voulant rire un peu, il ajouta : « À moins que vous insistiez à tout point pour y aller ! » Gordon Thomson aime rire et s'amuser et ce soir-là, je ne sais trop pourquoi, mais il était plus gamin que le petit Schroder. Je lui demandai de m'attendre un peu et j'allai vite chercher Lina à la table pour qu'elle vienne prendre des photos. Gordon Thomson et moi sommes passés dans une pièce très éclairée où il n'y avait que quelques gardiens de sécurité et nous avons jasé ensemble pendant que Lina prenait à son aise toutes les photos qu'elle voulait. Croyez-le ou non, mais de ces photos uniques, il n'en est sorti qu'une seule de bonne et c'était celle où il était avec moi. Lina se trouva toutes les excuses, mais en tant que photographe, elle commençait vraiment à perdre des plumes en ce qui me concernait. Je me rappelle lui avoir dit par la suite de changer de caméra, de se moderniser, de faire quelque chose, car je ne pouvais pas me permettre des sessions ratées de la sorte. Pour en revenir à cette soirée, Gordon me quitta finalement et je lui promis de lui téléphoner les jours suivants, ce que je fis. Il était maintenant retourné à sa table, Lina aussi, et moi... il était temps que j'aille enfin à ce petit coin... où il fallait presque prendre un numéro. La soirée achevait et je me rappelle avoir été juste derrière Rob Lowe... dans cette lignée du soulagement !

La soirée tirait vraiment à sa fin et quelques vedettes étaient déjà parties avant même qu'on ne proclame «Platoon» meilleur film de l'année. Je ne tenais plus tellement à faire d'entrevues, j'avais des cassettes jusque dans mes poches et j'avais la voix plus rauque qu'un orateur. Lina vint me prévenir en vitesse que la grande actrice Olivia De Havilland, qui avait été honorée, s'apprêtait à quitter elle aussi. Je m'empressai de la rejoindre à sa table et lui demandai la faveur d'une entrevue pour le Québec. Comme Olivia venait de remporter un trophée pour son rôle dans «Anastasia, the Mystery of Anna», il lui était difficile de refuser. Je pus donc m'asseoir et réaliser une belle entrevue avec elle. Pas aussi chaleureuse que Loretta Young, elle était quand même assez cordiale et me parla de «Autant en Emporte le Vent», dont elle était la seule actrice encore vivante. Elle me parla aussi de sa fille, de son ex-mari qui demeurait toujours en France et des hommes qui avaient tourné avec elle à l'écran. Non, Clark Gable n'était pas son préféré. Pour Olivia De Havilland, Henry Fonda avait été celui qu'elle avait le plus admiré. Vêtue d'une somptueuse robe de mousseline d'un bleu nuit superbe, Olivia De Havilland était assez grassette cependant et faisait plus dame âgée que Loretta Young, même si je ne lui aurais jamais donné ses 71 ans. Lors de la remise de son trophée, la salle s'était encore levée pour l'acclamer. Olivia De Havilland, tout comme Loretta Young, faisait partie de celles devant qui l'on s'incline. Je me rappelle de son film «The Snake Pit» et en voilà une autre que ma mère aimait beaucoup avec ses «beaux yeux bruns», comme elle disait. Ce fut pour moi un privilège que de rencontrer cette grande dame du cinéma et je vous avoue avoir été comblé d'en interviewer deux le même soir. C'est avec élégance que miss De Havilland me quitta et par la suite, c'est avec autant d'élégance que je rédigeai un très bel article sur elle dans Le Lundi. Je lui devais bien ça !

Les gens sortaient maintenant en toute hâte, trop heureux de retrouver leur limousine avant les autres. Il ne restait presque plus personne dans la salle quand je vis un «retardataire» que je ne manquai pas. Telly Savalas, ou «Kojak» si vous préférez, a eu tort de sortir presque le dernier par la grande porte... car c'est exactement là que je l'ai accroché. Il ne semblait pas plus pressé qu'il ne fallait et accepta de s'asseoir avec moi, sachant que son chauffeur serait maintenant l'un des derniers à faire son apparition. Savalas, qui avait la tête comme une boule de quilles bien cirée, me faisait presque peur avec ses gros traits. Cet homme n'est pas beau, c'est connu, mais vu de près, il l'est encore moins. Son nez est immense et mâché, ses lèvres sont charnues et pas attirantes et il a le front d'un taureau. De plus, ses mains sont celles d'un énorme lutteur. Je vous le dis, un vrai «bouncer» de club de nuit. Très sûr de lui, fier comme un paon, prétentieux comme le Grec qu'il est, il a quand même été affable avec moi. Je dois sûrement les avoir avec ma modestie et ma délicatesse, car les plus coriaces sont toujours devenus des agneaux dès que je commençais mes entrevues. Telly Savalas me parla de sa petite famille, de son nouveau-né, lui qui, dans la soixantaine, faisait encore des enfants. Il me parla de religion, des beautés de la vie et le «paon» devint peu à peu aussi fragile qu'une rose. Telly Savalas est un tendre qui le cache sous des aspects de «macho». J'ai aimé converser avec lui, et s'il était le dernier invité de mes cassettes, il n'en était pas le moindre. C'était finir une soirée en beauté et dès qu'il sortit de la salle, j'entendais des «Kojak, we love you!»

La soirée la plus mouvementée de ma carrière allait enfin... prendre fin. Ce soir-là, le 31 janvier 1987, on avait acclamé Anthony Quinn pour l'ensemble de sa carrière et décerné le trophée du meilleur film de l'année à «Platoon» bien avant que les Academy Awards en fassent autant. La meilleure émission de télévision était «L.A. Law» et le meilleur film étranger «The Assault». On n'avait même pas retenu la candidature du «Déclin de l'Empire Américain». Les membres de la presse étrangère n'avaient pas aimé ce film. Le trophée de la chanson de l'année alla à «Take my Breath Away» de «Top Gun» et Paul Hogan remporta aussi un trophée pour «Crocodile Dundee». Je ne vous ferai pas nomenclature de tous les gagnants, mais ce qui vous intéressera sans doute davantage, c'est de savoir que Farrah Fawcett était là avec Ryan O'Neal et que je ne l'ai jamais trouvée aussi laide. Il y avait également Bette Midler que je n'ai jamais trouvée aussi grosse et encore une fois, Jane Seymour... que je n'ai jamais trouvée aussi belle. Nous, ce n'est pas une limousine qui vint nous chercher. Lina et moi avons emprunté deux ascenseurs pour atteindre sa vieille voiture et nous sommes partis à travers les avenues de Beverly Hills jusqu'à Sunset Boulevard. Il était 1 heure du matin quand je réintégrai mon hôtel et j'étais vraiment au bout de ma corde. Fier de ma réussite? Sans aucun doute, mais brûlé jusqu'aux os. Sans même enlever ma chemise, juste ma cravate, je me suis étendu sur le lit en écoutant sur ma bande FM un concerto de Grieg et là, dans le noir, j'ai dormi, dormi, dormi... comme un loir!

Février se lève sur la planète et moi à Los Angeles. J'ai dormi tout habillé et à ma radio FM, c'est Manuel De Falla qui est à l'honneur de très bonne heure. Il n'est que 8 heures, mais je pense avoir assez dormi, d'autant plus que j'ai une faim de loup. Je ne suis pas pour descendre ainsi tout froissé, on pourrait penser que j'ai bu toute la nuit. J'ai les cheveux tout défaits, la barbe longue. Somme toute, je fais dur... comme on dit chez nous. Le première chose qui s'impose est certes une bonne douche, moi qui habituellement ne se couche jamais sans cette eau bienfaisante sur ma tête. La nuit dernière, c'est comme si j'avais perdu connaissance après tout ce travail. C'est ce qu'on appelle être épuisé jusqu'à la moelle. Une douche matinale, ça réveille et ça remet en forme. J'avais commandé mon déjeuner à ma chambre et je vous jure que à Hollywood, on ne monte pas avec le cabaret... pour rien. Un oeuf poché sur une rôtie, un tout petit jus de pamplemousse, un café noir... et une addition de $7.75 sans parler du pourboire que le garçon attend. Quand je déjeune en bas, à la salle à manger, on nous donne tout cela et on nous inonde de fruits frais. On nous donne du melon à 8 heures du matin avec des oeufs quand ce n'est pas un gros morceau d'ananas. Je ne déteste pas les fruits, mais j'en ai tellement mangé chaque fois, que j'en suis toujours quitte avec une démangeaison aux mains ou au visage. Trop d'acidité, c'est trop et je m'en rends compte quand mon verre de bière n'a plus de collet. Ce 1er février, il faisait un beau 85 degrés et le soleil était déjà à percer ma fenêtre. Je souhaitais de tout mon coeur ne recevoir aucun appel cette journée-là afin de me remettre entièrement de ma pénible soirée. J'étais à ranger mes notes et mes cassettes quand le téléphone sonna vers 11 heures du matin. Je pensais que c'était mon ami Normand Vaughan qui voulait savoir comment la soirée s'était passée, mais non, c'était le photographe Dan qui me demandait si j'étais prêt à me rendre chez James Farentino pour une entrevue vers 2 heures. Comment dire non quand on a déjà fait les approches. J'acceptai de bon gré, d'autant plus que Dan passerait me prendre à mon hôtel et qu'il m'y ramènerait par la suite. J'aimais travailler avec ce photographe, tout comme avec Daniel. Plus je travaillais avec d'autres, plus je sentais que l'approche n'était pas la même et que les périples étaient moins stressants qu'avec ma petite Lina, que j'aimais bien pourtant. Le temps de me changer, d'enfiler une tenue plus décontractée et Dan vint me chercher. James Farentino habitait au tout début de Beverly Hills, ce qui voulait dire à quelques minutes de mon hôtel. J'en étais fort aise car je n'avais guère le goût d'effectuer un long trajet. J'arrivai à l'heure précise et James Farentino m'accueillit avec beaucoup d'égards. Il habitait une vaste maison pas tout à fait meublée encore. Il me disait être dans l'attente de meubles commandés... et je ne me suis rien imaginé! James Farentino, qui avait joué le rôle du beau docteur dans «Dynastie» alors qu'il voulait séduire «Kristle», ne travaillait pas en ce moment. Il avait fait partie du nouveau «show» de Mary Tyler Moore, mais comme tout avait été arrêté, il n'avait rien à babord et m'avoua être très insécure dans ces moments-là. Divorcé à deux reprises, il venait d'épouser, il y avait à peine cinq mois, une jolie brunette d'environ 27 ans prénommée Deborah. Il me parla d'elle, de leur union lors d'un voyage à Paris, de sa première femme, Elizabeth Ashley, de sa seconde épouse, Michelle Lee et de son fils qu'il avait eu de cette dernière et qui était toute sa vie. James Farentino était un homme de coeur que j'ai appris à connaître et que j'ai grandement aimé. Très humain, réaliste face à sa vie, il ne m'inventa rien et c'était là «mon premier Italien» qui ne se prenait pas pour un autre, quand je pense à des Estrada et Tony Danza. Deborah revint de ses courses et je la trouvai fort belle. Elle était aussi actrice et avait joué dans le «soap» «Capitol» pendant cinq ans. Là, elle voulait conquérir le grand écran (une autre!) sûre de devenir une seconde Lauren Bacall (elle aussi!). Le temps de prendre des photos et en le quittant après deux heures, James Farentino me dit: «Savez-vous que vous êtes un homme d'une grande bonté?» Un tel compliment venait de faire ma journée!

Enfin, une journée bien à moi pour me détendre. Je l'ai passée à la piscine avec un bon livre à la main. Il faut bien être à Hollywood en plein Sunset Boulevard pour lire la biographie de «Madame Récamier», mais que voulez-vous, je suis comme ça, aussi bizarre que ça puisse vous paraître. Lire l'Histoire de France en pleine Amérique moderne, c'est un dépaysement dont j'avais grandement besoin ce matin. Bien sûr, Connie et son fils Frank sont venus s'asseoir avec moi pour me parler d'acteurs et actrices et j'ai fait contre mauvaise fortune bon coeur. Connie ne vivait que pour son fils, un garçon de 25 ans plus que gâté. Ses désirs étaient des ordres. C'est pourquoi je ne fus pas surpris de le voir arriver avec une oreille percée ornée d'un diamant... que maman lui avait acheté. Le lendemain, c'est avec un tatouage de chez Reveen qu'il s'amènerait. Frank était un gars qui se cherchait une identité. Heureusement que sa maman a eu la bonne idée de le ramener à Boston, car je me demande... ce qu'auraient été ses prochaines «sensations»! Ce soir, j'ai pris une marche de santé sur Sunset, mais je ne suis pas allé loin. Moi, qui lors de mes premiers séjours, n'avait peur de rien, j'en suis rendu à redouter le moindre passant. Il me faut avouer par contre qu'en dix minutes de marche, j'ai été accosté par trois clochards, deux drogués, une prostituée et un Noir avec qui j'ai failli en venir aux poings, insulté parce que je l'ignorais. Comme je ne veux pas jouer les «Superman» sans savoir s'il a un couteau dans sa poche, j'ai crié plus fort que lui et c'est finalement lui qui est parti en me disant: «O.K. man, take it easy!» Ce que je venais de lui dire n'était rien que Shakespeare aurait approuvé dans ses classiques, mais pour certains, c'est une forme de langage qui se comprend bien!

Je savais bien que j'aurais de ses nouvelles. Je ne pensais rien avoir de spécial en ce jour et voilà que ma petite amie Alison Arngrim me téléphone et me demande si elle peut venir avec son père pour une entrevue à mon hôtel. Bien sûr, lui dis-je. J'avais hâte de la revoir car j'ai toujours été attaché à cette «Nellie Oleson», même si son timbre de voix m'irrite le tympan. Alison arriva avec Thor, son papa, et ce furent de belles retrouvailles. Comme d'habitude, je lui commandai un soda, car Alison ne consomme aucun alcool. Thor et moi avons opté pour un verre de vin blanc. Alison était maigre et très pâle. Je la croyais malade et elle m'avoua qu'elle ne surveillait que sa ligne, rien de plus. Ses cheveux étaient maintenant très longs... mais je persistais à me dire: «Cette petite n'est pas en santé, ça se voit!» Pourtant, elle était aussi énervée que d'habitude, aussi exhubérante, aussi volubile et m'imita l'écureuil, le canard et même un poisson dans l'eau, parce que depuis peu, elle gagnait sa vie en imitant les animaux, tout comme l'avait fait sa mère autrefois. Elle était toujours en tournée avec son «Stand up» mais elle m'affirma se servir de moins en moins de son personnage de «Nellie» pour séduire les foules. De plus, elle avait un nouvel ami, un bel Italien de 6 pieds qu'elle comptait... peut-être épouser. À chaque fois que je l'ai vue, il y avait toujours un nouveau gars dans sa vie. C'est pourquoi j'ai bien ri. Elle m'a demandé des nouvelles de René Simard qu'elle estimait beaucoup, m'a parlé de Melissa Gilbert, de Michael Landon et de tous les membres de «La Petite Maison». Alison m'a ensuite raconté en détail les derniers moments de son ami Steve Tracy alors que le sida l'emporta et c'est avec le coeur bien gros qu'elle me raconta les funérailles auxquelles assistèrent tous les membres de La Petite Maison... sauf Melissa Sue Anderson. Elle me parla aussi de son implication pour venir en aide aux victimes de cette maladie mortelle. Elle me raconta comment elle était allée chercher de l'argent chez tous les acteurs de La Petite Maison et du «party» qu'elle avait organisé pour Steve Tracy quelques mois avant sa mort. Tous étaient venus... sauf Melissa Sue Anderson. Alison Arngrim rêve encore d'une autre série, d'un autre rôle important... et son papa aussi. Thor Arngrim est le maganer de sa fille et il voudrait bien que la percée pour elle soit encore plus fantastique. Il est patient cependant, elle également. À 25 ans, Alison Arngrim est encore jeune et pour l'instant, elle gagne bien sa vie sans être riche. Cette visite me rappela de bons souvenirs alors qu'en 1981, je la rencontrais pour la première fois. Son père me remit plusieurs posters de sa fille chérie et je ramenai le tout avec moi pour les passer dans Le Lundi. Au moment de se quitter, Alison s'écria: «Savez-vous, Denis, que j'ai maintenant 5 ans de plus qu'à notre première rencontre?» Ce à quoi je répondis... «Et moi aussi, ma chérie!»

Ce soir, je suis allé souper avec Normand Vaughan, car je savais que je n'aurais plus le temps de le voir avant mon départ. Normand aime le bon vin, il l'aime beaucoup trop... et moi, je le suis... sans dire un mot. Fatigué, les effets se font vite sentir et pour me défouler, je suis ensuite allé sur Santa Monica voir ce qui s'y passait. J'en ai vu de toutes les couleurs, je vous le jure. Quel monde que celui de la marginalité! N'ayant plus l'audace d'antan, j'ai vite sauté dans un taxi pour regagner mon hôtel. À la télévision, c'était la première du film «Convicted» avec ma bonne amie Ann Jillian. J'avais mal à la tête et je sentais que demain...

Un mercredi que je n'oublierai jamais de ma vie. Je me suis levé assez mal en point, tel que prévu, et ma conscience me disait: «Denis, tu fais des abus, attention!» Pourtant, c'était quoi un abus? Quelques verres de vin et une ou deux bières dans la soirée? Plusieurs diront que c'est très peu, mais en ce qui me concerne, je ne peux me permettre ce qui en ferait rire d'autres. Je n'ai jamais tellement supporté la boisson et mon foie n'est pas amoureux du vin. Je connais donc mon point faible... et mes limites. Une bière ou deux pour me désaltérer, ça va, mais du vin par-dessus?... c'est trop. J'ai une très petite marge de crédit face à l'alcool et c'est le pire ennemi de ma pauvre santé. De plus, fatigué comme je l'étais, je pense que je ne valais guère mieux à ce moment qu'un adolescent face à sa première «cuite». Bon, j'ai compris... mais n'empêche que le téléphone sonnait sans cesse et que j'avais déjà quatre entrevues à faire le jour-même. Vous vous rendez compte? Quatre entrevues et un cerveau qui titubait encore. J'en faisais mon «mea culpa» et j'étais même en furie de ne pas être plus «capable» que ça, moi que rien n'atteint habituellement. Non, il me fallait me rendre à l'évidence, mon pauvre foie privé de sa vésicule refusait que je le malmène ainsi et me le faisait savoir bien cruellement en ce lendemain de la veille. Quatre entrevues d'un coup parce que je n'avais plus que deux jours à être Hollywood. C'est toujours comme ça chaque année. Les publicistes attendent, se fient que vous allez rester plus longtemps, et quand ils sentent que vous partez vraiment, ils téléphonent tous en même temps. Smith m'avait aussi téléphoné et je devais souper avec lui le soir-même. J'ai pris mon courage à deux mains, j'ai pris une douche froide, deux cachets d'Aspirine et j'ai plongé dans un «advienne que pourra». Comme on dit aux États-Unis: «The show must go on» et ce n'était pas une boutade de mon foie qui allait m'arrêter. À 9 heures précises, Dan arrivait à mon hôtel et je partis avec lui à Westwood rencontrer Chris Lemon, fils de Jack Lemmon et acteur tout comme son père. Dan trouvait que j'avais l'air fatigué, mais ne me posa pas de questions. Arrivé à l'appartement de Chris Lemon, je fus très surpris de constater à quel point il ressemblait à son père. Plus grand que Jack, il avait les mêmes yeux, le même facies, le même rire... et les mêmes défauts. Son appartement était en désordre et il n'avait pas encore eu le temps de prendre sa douche. Il buvait du café sans arrêt et m'avoua avoir un «hangover» car il avait fêté très tard avec des amis et avait à peine dormi avant qu'on n'arrive chez lui. Je lui dis d'être à l'aise, d'aller prendre sa douche, que nous étions pour l'attendre tout en prenant un café. J'aurais été bien mal placé pour lui faire des reproches et j'avoue que son café me remettait quelque peu d'aplomb... même si ce n'est pas là le remède idéal pour le foie! Chris Lemon revint au bout de quinze minutes et il avait changé d'allure. Nous avons pu prendre des photos et ensuite, ce célibataire de 32 ans m'a parlé de lui, de son père, de sa carrière (qui n'était pas encore très forte) et de ses grandes ambitions. Tout comme son père, il savait reconnaître une belle fille quand il en voyait une et levait «le coude» plus souvent qu'à son tour. Talentueux sûrement, je ne l'ai pas encore vu nulle part, je présume qu'avec l'aide de papa qui lui n'est pas mort, Chris Lemon fera son chemin. Quand je lui demandai pourquoi il n'avait pas pris un autre nom, un nom juste pour lui, il me répondit que c'était parce qu'il était fier du nom de son père. J'ai souri pour ne pas rire. Je n'ai rien dit. La fille de Tyrone Power m'avait déjà tout expliqué ça!

De Chris Lemon, je devais me rendre à Hollywood chez un agent afin de rencontrer Grant Goodeve, le fils aîné de l'émission «Huit ça suffit ». C'est curieux, mais au moment où l'émission était très en force, j'avais tenté d'obtenir une entrevue avec lui et j'avais essuyé un refus. C'est à ce moment que j'avais jeté mon dévolu sur Willie Aames pour pouvoir parler de cette émission. Là, c'était autre chose. Grant Goodeve ne travaillait plus tellement et ce n'est même pas moi qui ai demandé à le rencontrer. En ce qui me concernait, il était rangé dans un tiroir dont j'avais perdu la clef. On me dit non une fois... et je n'insiste plus jamais. C'est la photographe Peggy qui me téléphona pour savoir si je pouvais le rencontrer parce que la publicité lui serait utile en ce moment. Comme je ne voulais pas aller chez lui (c'était trop loin) je lui demandai de me rencontrer à 11 heures chez son agent... ce qu'il fît ponctuellement. Mon Dieu que les temps ont changé! J'y aurai mis du temps, mais voilà que c'était maintenant moi qui décidais de l'heure et de l'endroit. J'étais loin du gars qui, en 1981, aurait fait 300 milles pour rencontrer «Miss Piggy»! Grant Goodeve s'avéra le plus gentil garçon de la terre. Très simple, vêtu style «western», il avait gardé cette tête d'adolescent en dépit de ses 34 ans. Bon père de famille, il me parla pendant au moins une heure de sa femme et de ses enfants et pendant une autre du Bon Dieu. Il était un fervent croyant et Dieu lui avait été bouée de sauvetage au moment où il avait sombré dans quelques folies de jeunesse. Très terre à terre, très sûr de lui et sage comme un homme de 60 ans, Grant Goodeve ne se permettait pas le moindre écart de conduite. Une chose est certaine, mesdemoiselles, il est très beau cet homme et lui chercher physiquement des défauts... serait lui chercher des poux. Très svelte, le teint bronzé, le nez court et droit, les dents blanches, Grant Goodeve avait tout pour ne jamais manquer de travail. Pourtant, il n'avait pas la main heureuse en ce moment et se débrouillait dans le domaine, derrière les carémas. Il avait même accepté un certain temps de jouer l'amant de Steven dans «Dynastie» et il ne le regrettait pas, me disait-il. Peut-on refuser quoi que ce soit quand on a une femme et quatre enfants à faire vivre? Je trouvai que Goodeve était un homme responsable et mon entretien avec lui fut très enrichissant. Il me questionna sur mes enfants, me demanda si la période de l'adolescence était difficile pour un père, etc. Grant Goodeve m'a épaté et je dirais que ce fut de ce voyage, ma plus longue et ma plus belle entrevue. Quand je l'ai quitté, je lui ai souhaité beaucoup de chance en cette année qui commençait. Il m'a dit: «God bless you, Denis!» et je lui ai promis que je prierais pour lui. Et je l'ai fait... sans savoir si le petit Jésus m'a écouté juste assez pour le faire travailler. L'avenir saura bien me le dire!

C'est sans doute parce que Dieu était en cause que je me sentis de plus en plus regaillardi. Peggy vint prendre une bouchée rapide avec moi et ensuite, il nous fallait être dans le bout de Culver City où je devais rencontrer Shalane McCall à 3 heures. Shalane est cette belle fille de 14 ans qui incarne la fille de Priscilla Presley dans «Dallas». Peggy tenait à ce que je la rencontre et c'est dans un petit restaurant style «Curb Service» que nous avons stationné la voiture. J'avais dit à Peggy que je ne pourrais passer plus de trente minutes avec elle à cause d'un autre rendez-vous. Comme Shalane allait à l'école, sa mère devait aller la chercher et l'amener jusqu'au «Snack Bar» où nous ferions l'entrevue en plein air tout en sirotant un Cola. Nous attendions et le temps passait. Déjà vingt minutes d'écoulées et je dis à Peggy qu'il me faudrait partir si elle n'arrivait pas d'ici cinq minutes. Peggy était fort mal à l'aise, mais je ne pouvais risquer de manquer mon autre rendez-vous. Je m'apprêtais à partir quand la petite camionnette grise arriva avec la jeune vedette et sa maman. La mère s'excusa prétextant un embouteillage et la petite ne disait rien. Elle souriait timidement comme toute adolescente lancée trop tôt dans le monde des grands. Je la sentais fondre devant mes questions et je la mis vite à l'aise en faisant une pause, en lui parlant de «Dallas», de ma fille qui était venue avec moi à Disneyland et de là, tout marcha comme sur des roulettes. Au sortir de son école, Shalane McCall avait l'air d'une fillette de son âge, mais les photos que sa mère me remit d'elle lui donnaient 19 ou 20 ans. Sa mère la poussait terriblement et me suppliait d'écrire que son rôle n'était pas assez fort et pas assez fréquent. Elle voulait que «j'en mette» comme on dit, pour ensuite présenter tout ça aux producteurs. Elle avait même institué un fan club pour sa fille et me remit toute la documentation possible. Avec une telle mère, Shalane n'avait pas besoin de publiciste. Je me demandais et je me demande encore si être actrice était le désir de la fille où le fantasme de la mère. La petite semblait bien indifférente au plaidoyer livré par sa mère. C'est comme si elle connaissait la chanson par cœur. De toutes façons, si jamais elle devient une grande vedette, elle le devra sûrement à sa maman. À Hollywood, il y a de ces mères et de ces pères qui veulent... et Barbara McCall était de ceux-là !

Là, je n'avais plus besoin de Peggy parce que de ce pas, je me dirigeais maintenant aux Studios Columbia où Smith m'attendait afin de m'introduire à nul autre que le populaire Robert Hays. Peggy m'y conduisit et je la remerciai, lui disant que je m'arrangerais pour le retour. Aux studios Columbia, il y a des gardiens qui nous font signer et qui vérifient avec la direction si on est réellement attendus, etc. Je connaissais le manège, j'y étais pour la deuxième fois. Monsieur Smith me reçut avec autant d'ampleur que la première fois et m'offrir un café en attendant qu'on puisse se rendre sur le plateau de tournage. Comme je les haïs ces plateaux... surtout quand j'ai encore de «la houle» entre les yeux et le cuir chevelu. Robert Hays est cet acteur qu'on a connu et aimé dans « Airplane » et qui est actuellement le héros principal de la série « Starman » qui passe à la télévision tous les samedis en soirée. C'était donc un épisode de « Starman » qu'on tournait et à 4 heures, nous étions sur le plateau en train de le voir se battre avec un faux monnayeur. Il y avait là une espèce de cantine et je ne refusai pas le morceau de gâteau qu'on m'offrit. Après un « cut » et une pause, Robert Hays vint jusqu'à nous et Smith nous présenta l'un à l'autre. Quel gars sympathique que ce Robert Hays qui faisait des farces malgré sa fatigue et qui avait un sens de l'humour à revendre. Il voulait qu'on s'occupe de moi, que je ne manque de rien jusqu'à ce qu'il revienne. Ce fut une bien drôle d'entrevue, car Robert Hays revenait à chaque pause et nous reprenions où nous avions laissé. C'était une entrevue par bouts de ficelle si je peux dire et ce n'était pas facile. Normalement, l'épisode aurait dû se terminer à 5 heures, mais il y avait des complications et l'on décida de continuer en temps supplémentaire. De plus, le photographe du plateau était parti depuis 4 heures, ce que Smith ignorait et nous n'avions pas le droit de prendre des photos à l'intérieur avec ma caméra « because l'union ». Il nous fallait absolument faire sortir Robert Hays à l'extérieur du studio, mais comment? Smith était très mal à l'aise de le lui demander et c'est moi qui l'ai fait. Comme le tournage devait se prolonger jusqu'à 8 heures, je fis mon entrevue par bribes ici et là et quand je figurai que j'en avais suffisamment, je demandai à Robert s'il pouvait venir à l'extérieur pour une photo au moins avec moi. Il regarda son réalisateur qui lui murmura : « Il va te falloir faire vite, car on reprend dans 60 secondes. » La sortie était assez loin, mais Robert Hays m'y entraîna et nous prîmes que deux photos. Comme il faisait déjà noir à l'extérieur, une seule des deux photos sortit passablement et ce fut là ma seule preuve et mon seul souvenir de ma rencontre avec lui. Dans l'entretien, Robert Hays avait évité de me parler de sa vie privée et n'avait pas voulu me dévoiler son âge. Il disait qu'un héros, ou plutôt « un robot » comme il était dans « Starman », ne se devait pas d'être démystifié par son âge. Il me demanda de ne pas en parler dans mon article et je tins promesse. Par contre, dans ce livre qui se doit d'être fidèle à la réalité, je peux vous dire que Robert Hays a 42 ans bien sonnés et qu'il en paraît tout au plus 35. Ce fut une agréable rencontre et quand je le quittai, il me demanda de le revoir l'an prochain, chez lui cette fois, en tête-à-tête, avec une bonne bouteille de vin. Le dernier mot était de trop pour moi ce jour-là et je pense que j'ai recommencé à me sentir mal, juste à y penser. Bien sûr qu'on se reverra, Robert, et d'ici là, sachez que je ne manque aucun épisode de ce « Starman »... sans âge!

Smith me raccompagna à mon hôtel et, en cours de route, comme il était très distrait, nous avons failli avoir un accident de voiture par sa faute. Il décida de prendre la ligne de droite et coupa une voiture hors de son champ de vision. Cette dernière, pour l'éviter, prit le fossé et percuta contre un arbre. Smith modéra et voyant que les occupants n'avaient rien, il poursuivit sa route comme si rien ne s'était passé. De retour à mon hôtel, il insista pour aller prendre un verre au bar, juste avant qu'il ne rentre chez lui. J'étais à moitié mort, mais je ne pouvais refuser et il se commanda un double scoth nature. Pour ma part, je pris une grenadine avec soda et Smith de me demander: «Vous ne buvez pas d'alcool?» ce à quoi je répondis: «Non, je ne digère pas les alcools et encore moins le vin». Pieux mensonge... et vérité à la fois! Smith est vite devenu un ami et comme il est tout comme moi collectionneur de vieux films, il m'en a doublé plusieurs que je ne trouvais pas au Canada. C'est ainsi que je pus ajouter dans ma filmothèque «Soudan» avec Maria Montez et deux ou trois bons Humphrey Bogart. D'ici peu, il m'en enverra d'autres avec Jean Harlow. Il en possède plus de 2000 copies!

Smith est parti enfin chez lui et seul, je me suis rendu au Silver Screen prendre un repas léger pour me remettre l'estomac. Le garçon qui me servait me demande: «Would you like some wine with your meal?» J'ai failli m'évanouir... mais j'ai préféré en rire en lui disant: «Non, jamais avant le coucher!» Il était déjà 11 heures du soir et je me sentais quelque peu déprimé. J'étais fourbu, usé, de seconde main, à rabais... mais ce qui me redonnait de l'énergie, c'était de savoir que dans 48 heures, je serais enfin de retour à Montréal. En attendant ce moment, je m'étendis, je m'endormis, je ronflai, et je pus enfin... cuver mon vin!

Même s'il fait un beau 80 degrés à Los Angeles, je suis tanné d'y être et j'ai bien hâte d'être à Montréal même si j'y arrive avec un 30 degrés sous zéro. Là, c'était la panique et les publicistes me téléphonaient pour me confirmer des rendez-vous comme ce n'était pas possible. Il me fallait donc faire un choix, ce qui n'était pas facile. J'avais déjà quatre entrevues de planifiées et je ne pouvais en prendre davantage, d'autant plus que je devais me déplacer jusque dans la vallée encore une fois. Je reçus un appel de la publiciste de Lorenzo Lamas qui me demanda si je pouvais rencontrer Lorenzo à 2 heures aux studios. Je lui répondis que malheureusement, à cette heure-là, je serais chez Anthony Perkins. Elle me dit: «À moins que vous ne veniez avant?» et j'ajoutai: «Je ne peux pas, car je rencontre l'actrice Lindsay Bloom à 1 heure. Désappointée, elle ajoute: «Lorenzo aurait aimé vous rencontrer, c'est lui qui m'a demandé de vous téléphoner.» Je rétorquai: «Je suis désolé, mais je ne peux être à deux endroits à la fois et remarquez que j'attends de vos nouvelles depuis la semaine dernière!» Elle s'explique et me demande encore une fois si je ne peux pas le «squeezer» quelque part pour employer son expression et je lui réponds: «Non, je ne peux vraiment pas, mais je vous téléphonerai lors de mon prochain voyage.» Je ne pouvais quand même pas faire de miracles et je n'allais pas annuler une entrevue parce que Lorenzo Lamas avait décidé qu'il me rencontrerait ce jour-là. Avouez que j'étais loin d'être celui qui, en 1981, faisait des mains et des pieds pour obtenir la moindre entrevue. C'est maintenant moi qui en refusais... et ça me glorifiait. Si ce n'était pas là avoir réussi à relever son défi, je me demande bien ce que c'était. Et je suis certain que Lorenzo me recevra l'an prochain!

Ma première entrevue fut réalisée à mon hôtel à 10 heures du matin, juste après ce coup de fil. C'était Caryn Richman, celle que j'avais rencontrée sur le plateau de «Mike Hammer» et qui avait son émission avec Dean Butler. Elle m'avait dit qu'elle viendrait et elle était là, ponctuelle et très intéressée à me livrer une partie de sa vie. Caryn, qui était la vedette de «The New Gidget», était une petite brunette d'environ 27 ans, toute simple et fort jolie. Elle m'avoua qu'elle ne voulait pas absolument obtenir une gloire au point de ne plus pouvoir sortir sur la rue. Elle voulait juste travailler, gagner sa vie et vivre à l'insu des gens. Malheureusement, avec son émission, elle était déjà «sur la mappe» et il n'y avait plus rien à faire pour elle au point de vue «anonymat»... du moins en ce moment! Elle venait de quitter son ami, un acteur avec qui elle vivait depuis trois ans. Elle me raconta sa peine d'amour, mais comprenait qu'il était impossible de faire le même métier et vivre ensemble. Je fis avec elle une superbe entrevue, profonde et très humaine. Caryn Richman me quitta en m'avisant que je pourrais l'appeler à chacun de mes voyages. Je l'aurais certes invitée à luncher, mais il me fallait être tout au haut de Laurel Canyon dans trente minutes ou à peu près.

Peggy avait, tout comme Lina, une vieille bagnole et conduisait aussi mal. Mon Dieu que je n'étais pas à l'aise dans cette voiture dont il fallait presque tenir la portière de peur qu'elle ne s'ouvre. Nous avons gravi la pente de Laurel Canyon, bifurqué à droite et emprunté une petite rue où on manquait d'écraser un chien à toutes les dix secondes. Enfin, on trouve l'adresse et nous voilà devant une maison de style rustique, celle de Lindsay Bloom, la jolie «Velda» de Mike Hammer, la partenaire de Stacy Keach. C'est d'abord un chien qui jappa après nous (ils en ont tous un ou deux) et c'est elle-même qui vint nous ouvrir. Quelle charmante femme que cette Lindsay Bloom! Pas «star» pour deux sous, elle me jeta dans les bras son chat borgne (il n'avait qu'un œil) et j'en fus quitte pour éternuer toute la soirée. Elle me parla des nombreux concours de beauté qu'elle avait remportés avant de devenir actrice, de ses débuts à Hollywood, de son rôle dans «Mike

Hammer», de musique, de livres, de son mari qu'elle aimait plus que tout au monde et de son regret de ne pas être mère. En plein milieu de sa trentaine, il était certes encore temps pour elle d'avoir des enfants, mais Lindsay, en bonne «Vierge» pratique, m'affirma qu'elle ne pouvait se résoudre à laisser des enfants avec une bonne. Comme il lui fallait gagner sa vie, elle préférait s'en abstenir plutôt que d'avoir à les quitter chaque matin. Passionnée de la photographie, elle me fit voir ses œuvres, de très beaux paysages croqués ici et là et des montagnes. Nous causions et Peggy y allait de ses 150 photos. Je n'ai jamais pu lui apprendre à celle-là, que 6 ou 7 photos me suffisaient. Je sentis à un moment que Lindsay Bloom s'impatientait et soudainement, elle dit à Peggy: «Ne pensez-vous pas en avoir assez? Prenez-en une ou deux autres et ce sera tout. J'aimerais bien causer avec ce monsieur et ces photos sans arrêt me déconcentrent». Je sentis que Peggy fut vexée de sa remarque, mais j'en étais fort aise d'autant plus que je ne cessais de lui dire à chaque fois de ne pas trop insister avec les photos. Elle en prenait tellement que je n'avais plus de temps pour mon entrevue. Tout se passa donc à merveille avec Lindsay Bloom et c'est avec grande admiration que je serrai la main de cette belle fille du Texas qui faisait sa marque à Hollywood.

Mon avant-dernière entrevue n'allait pas être de tout repos. Juste à y penser et je ressentais un certain malaise. Nous étions en pleine vallée, en direction de la maison de Anthony Perkins, le célèbre «Norman» des films «Psycho» en trois parties. Nous arrivâmes enfin devant sa vaste maison qui ressemblait davantage à un immense chalet. Il y avait là un chien coolie, mais un chien trop vieux pour être méchant. Il ne leva qu'un œil à notre arrivée et se rendormit aussitôt. C'est sa femme, Berry Berenson, qui nous reçut et qui m'accueillit dans un excellent français puisqu'elle avait été élevée en France. Elle-même photographe, elle pratiquait encore son métier, pendant que sa sœur Merisa Berenson était actrice à Hollywood. Berry avait travaillé pour de grands magazines de mode, mais dans sa tenue du jour, elle avait l'air de «Sissi» s'en allant aux champs. C'est tout juste si elle n'avait pas des sabots de bois. Anthony Perkins était dans l'autre pièce et me scrutait du regard. Berry me le présenta, il me serra la main et continua de lire son journal. J'étais vraiment mal à l'aise et je me demandais ce qui arriverait. Sa femme causait allègrement, mais lui, il ne levait les yeux que de temps en temps pour me jeter un regard sans même me sourire. Quand je lui avouai que je l'avais déjà entrevu chez Schwab un certain matin il y a quatre ans, il me répondit: «Ah! vraiment? vous auriez dû venir me causer!» Je me demandais bien comment j'allais l'avoir et sa femme m'entraîna un peu à l'écart pour me dire: «Monsieur, mon mari est extrêmement timide. Donnez-lui un peu de temps et vous verrez que tout ira bien!» Et moi? Pensait-il que je n'étais pas gêné dans une telle maison? Ce n'est pas parce qu'on est journaliste qu'on défonce toutes les portes à coups de pied!

Anthony Perkins, qui avait l'habitude d'accorder des entrevues à «Jours de France» et «Paris Match», regardait mon magazine et je me demandais si Le Lundi allait lui être favorable. Il me demanda ce que j'allais écrire sur lui et je lui déclarai: «Exactement ce que vous allez me dire, monsieur Perkins!» Voilà que je lui arrache enfin un sourire. Il se dégèle tranquillement et ordonne même à sa domestique de nous apporter du café sur la patio. Pourtant, il faisait terriblement chaud! Pour eux, ce n'est pas comme pour nous. Puisque c'est toujours l'été là où ils vivent, le café est de rigueur à chaque jour. J'aurais volontier pris une limonade en ce qui me concerne. Tony, comme l'appelle sa femme, accepta de se laisser photographier avant l'entrevue, ce qui fut pour moi une bonne façon de débuter. Je lui parlai de la pièce «Equus» dont il avait gardé l'affiche, je lui parlai de «Psycho», de Ingrid Bergman avec qui il avait tourné étant jeune, de sa femme, de leur rencontre, de ses enfants et la roue se mit à tourner. Sa maison était grande, mais de style champêtre. Je vous le dis, je me serais cru dans une belle petite auberge des Cantons de l'Est, pas dans la maison d'une grande vedette. Il me parla de ses deux fils, Osgood et Elvis, qui avaient 13 et 11 ans et de son rôle de père face à eux. Marié sur le tard, Anthony Perkins a maintenant 57 ans, ce qui n'en fait pas un jeune papa pour des adolescents. Les petits gars n'étaient pas là, ils étaient encore à l'école. J'aurais aimé les rencontrer, mais je n'en eu pas le temps. À un certain moment, voyant qu'il raffolait de la langue française, je lui remis une copie de mon volume «Au Fil Des Sentiments» et il en fut émerveillé. Il me demanda: «Vous êtes écrivain également?» Sur réponse affirmative, je lui expliquai de plus la nature de mes billets et il s'empressa d'ouvrir le livre et tomba pile sur «L'âge ingrat...» dans lequel je parle des adolescents. Il en prit connaissance et cria à son épouse: «Chérie, tu liras cette page quand tu en auras le temps!» Là, tout était dans l'ordre et après remise du volume, Anthony Perkins n'était plus le même homme. Il s'ouvrit à moi comme il ne l'avait jamais encore fait et se sentit très en confiance. Je regardais ses yeux et j'y voyais sans cesse le fameux «Norman Bates» de «Psycho». Quel regard que le sien. Pas surprenant qu'il ait autant fait peur aux femmes. Cheveux lisses poivre et sel, il était très maigre et assez ridé, mais a-t-il seulement été gras dans sa vie? Moi, je l'ai toujours connu ainsi. J'étais chez lui et je n'en croyais pas mes yeux. Imaginez, n'était-ce pas là un autre but de compté face à mon défi? Anthony Perkins n'accordait jamais d'entrevues ou presque et il avait accepté de me recevoir chez lui. C'était tout un honneur et j'en étais conscient. Loin du «dandy» qu'il était alors qu'il était jeune, Tony avait perdu de son élégance et s'habillait de vieilles chemises et d'une veste digne de mon grand-père. Très perceptif, très humain et très mystérieux à la fois, je sentais en cet homme un passé qui l'avait fait souffrir. Était-il plus heureux en ce déclin d'automne de sa vie? Je n'en mettrais pas ma main au feu, mais j'ai la vague impression que Anthony Perkins traîne encore avec lui des déceptions, des angoisses et peut-être une certaine amertume. Peu souriant sauf quand on le flatte un peu, il y a quelques chose de si génial en lui qu'on pourrait croire qu'il a perdu la raison. En le quittant, en lui serrant la main, en sortant de sa maison... j'ai eu une drôle de sensation!

Redescendre Lauren Canyon avec Peggy, c'était passer une audition pour devenir «cascadeur». Entre Lina et elle, il n'y avait pas de différence, sauf que la voiture de Peggy était encore plus âgée. Un amas de ferraille ambulant! Le Bon Dieu veillait sûrement sur moi puisque j'ai pu regagner mon hôtel sain et sauf. Le temps de prendre une douche, de me changer et le téléphone sonnait. C'était Lauren Tewes et son époux qui étaient déjà dans le lobby de l'hôtel et que j'invitai à monter à ma chambre. Lauren Tewes, vous vous rappelez de mes premières entrevues? En effet, la «Julie McCoy» de La Croisière s'Amuse revenait pour une autre entrevue avec moi... pensant bien que c'était la première fois. Elle était fort en beauté dans son ensemble de maternité d'un rose tendre et n'était plus l'excitée que j'avais connue jadis. Je lui rappelai notre première rencontre en 1981 sur le plateau de tournage et elle ne se rappelait de rien. Elle rougissait de ne pas me reconnaître et tentait même de s'excuser. Je la rendis bien à l'aise... sans lui dire qu'à ce moment, le vin et l'euphorie lui avaient certes fait oublier un journaliste dans l'une de ses petites journées. Quand on pense en outre à tout ce qu'a traversé Lauren Tewes dans l'enfer de ses drogues, on peut comprendre qu'elle ait oublié bien des bouts de son passé, des bouts sans doute plus marquants pour elle qu'une rencontre avec un journaliste. Réalisant que je savais tout d'elle, elle parut encore plus embarrassée, mais je lui dis: «Ne vous en faites pas, Lauren, je suis ici pour parler de ce qui vient et non de ce qui est derrière vous!» Rassurée, elle ouvrit son cœur entièrement et j'eus le plus beau témoignage d'une future maman avec lequel je fis une première page au Lundi par la suite.

Son mari, qui était photographe, y alla de son talent et c'est à lui que je dus la belle photo qui orna la première page de notre magazine. Lauren Tewes n'était vraiment plus la même personne. Elle n'avait plus rien de la fausse «Marilyn» qu'elle tentait d'être à ses débuts et ne réclamait pas du vin blanc et du champagne. Elle accepta une eau Perrier, rien de plus et avait cessé de fumer depuis belle lurette pour le bien-être de l'enfant qu'elle portait. Si jeune et déjà aux prises avec un lourd passé, Lauren ne me parla point de son premier mari, de son divorce, mais axa sa conversation sur l'espoir de vivre un merveilleux roman avec celui qui l'avait sauvée de son horrible cauchemar et qui était devenu son mari. Lui, il écoutait, la regardait tendrement, lui souriait, et je sentais qu'il l'aimait profondément. Lauren Tewes, qui avait réussi à reprendre son rôle dans «La Croisière s'Amuse» la dernière année, n'avait rien de bien concret depuis. Elle avait joué dans quelques épisodes de série, mais rien de continuel. Elle faisait du théâtre et s'occupait aussi de jeunes artistes en herbe qu'elle présentait à des producteurs qu'elle connaissait. Nous causions sur le balcon de mon hôtel et à un certain moment, elle m'avoua: «Vous savez, Denis, j'ai déjà été «waitress» au restaurant de cet hôtel». Je croyais qu'elle plaisaitait, mais non, tout comme la petite blonde, le bell boy et Mitch, Lauren Tewes était venue travailler au Hyatt dans l'attente d'avoir sa chance... et elle l'avait eue. Malheureusement, elle l'utilisa fort mal et ce fut la dégringolade. À présent, au seuil d'être mère, avec un nom établi et une réputation... rétablie, elle pouvait s'attendre à une seconde chance. C'est de tout cœur que je lui souhaitai le plus bel enfant de la terre. Cette jeune femme avait trouvé sa douce simplicité. Comme une bonne petite maman, elle ne voulait même pas connaître le sexe de son enfant avant qu'il ne vienne au monde. Lauren Tewes ne jouait plus à «la star», elle en était maintenant une dans ce firmament où le cœur tient une grande place. Quand vint le temps de nous quitter, elle me remercia et me dit en riant: «Cette fois, Denis, je ne vous oublierai pas, soyez-en assuré!» Chère Lauren, les paradis artificiels étaient chose du passé et son plus beau rôle s'ouvrait devant elle, celui qu'elle aurait en tant que mère. Elle avait changé du tout au tout sauf une chose: Lauren Tewes louchait encore... mais désormais, ça ne faisait qu'ajouter à son charme!

Je venais d'éteindre mon magnétophone sur ma dernière entrevue et je savais que maintenant le téléphone ne sonnerait plus. Les publicistes me croyaient parti le soir-même et c'était voulu. Je désirais tellement que cette dernière soirée m'appartienne toute entière. Plus tard, Lina vint me porter mes photos en me faisant la bise et me déclara avec tristesse: «Vous allez me manquer, mais je vous attendrai l'an prochain si ce n'est pas avant!» Chère petite Lina, que de boulot nous avions fait ensemble. Il me fallait boucler mes valises et c'était là une tâche que je n'aimais pas. J'avais toujours plus de choses à y mettre en partant qu'en arrivant. Tous ces films achetés, ces souvenirs pour ceux que j'aime, cette documentation. Une fois de plus, la fermeture éclair résista, mais de justesse. Seul sur mon balcon du Sunset Boulevard, je regardais la lune et les nuages et je me disais: «Demain, je serai moi aussi de votre espace!» Dans la rue, ça criait, ça chahutait, ça riait et une fois de plus, Hollywood était en délire. Moi, je tirai les rideaux et tombai «raide mort» dans mon lit!

Vendredi, 6 février 1987. Il est 5 heures du matin et je suis déjà debout à me brosser les dents, à me laver la tête, à prendre une douche, à regarder si je n'oublie rien et à demander au bell boy de venir chercher mes valises. Dehors, un taxi m'attend et c'est en regardant peu à peu le soleil se lever que j'ai regagné l'aéroport de Los Angeles et le comptoir de Air Canada où l'accueil est toujours aussi courtois. Je me débarrasse de mes valises, je garde seulement ma mallette et comme d'habitude, je me dirige vers le petit comptoir «self service» du vaste restaurant où je prends un croissant et deux tasses de café pour bien me réveiller. Je suis encore fatigué, mais c'est une douce fatigue cette fois, une fatigue de récupération qui se transformera peu à peu en saine détente. À 9 heures, je décolle à bord d'un Lockeed 110 qui arrivait de San Francisco et qui était plein à craquer. Encore une fois, je me demandais comment cet appareil pouvait monter en plein ciel avec toute cette pesanteur avec lui. Je cessai de me poser la question... de peur de m'imaginer le pire et je bouclai ma ceinture. Le voyage fut turbulent et à certains moments apeurant, mais j'en avais vu d'autres. Seul, sans compagnon de voyage, ça faisait drôlement mon affaire puisque j'ai pu me reposer la voix et reprendre ma salive, moi qui venais de faire une tournée oratoire digne d'un candidat à la présidence. L'appareil vient d'atteindre Toronto et je suis là en transit pendant vingt minutes avant qu'un autre ne me ramène jusqu'à Dorval. Le temps de passer la douane, je prends mes choses, les dépose dans un carrosse et je vois au loin mon fils qui me fait signe de la main. Je retrouve ma maison, mon épouse, mes enfants et ma perruche. Ce soir, nous regardons tous ensemble le film des Golden Globe Awards que j'avais rapporté et là, un bon cognac à la main, je savoure les plus durs moments de mon passionnant métier. Je reviens de si loin et moi qui me pensais mort... voilà que je suis encore en vie. Je regarde dehors et j'admire le tapis blanc qui s'offre à ma vue. Il neige abondamment. J'ouvre la porte, je prends une grande respiration et je dis à Micheline: «Ah! que ça sent bon... l'hiver!»

Je repasse en mémoire ce dernier voyage et j'y vois un tas d'images. Je revois «ces étoiles» qui se veulent souvent filantes. Un certain acteur ne m'a-t-il pas dit: «Je ne sais pas encore si je travaillerai l'an prochain.» Insécurité constante, apparat gratuit et sourires qui bien souvent dissimulent les larmes. Hollywood a trop d'appelés et peu d'élus. Non, ce n'est plus comme au temps de la MGM, alors qu'un Fred Astaire devenait millionnaire en peu de temps. Non, on ne crée plus ainsi des «Marilyn», et Greta Garbo sera certes la dernière à intriguer le monde. Aujourd'hui, il y a les grandes vedettes qui vivent encore sur la colline, les starlettes qui survivent au jour le jour et les autres, les oubliés, ceux qui n'ont encore rien décroché et qui deviennent plongeurs ou porteurs de bagages. Ronnie, celui qui fait ce métier depuis sept ans en attendant un premier rôle... a encore monté mes bagages cette année. Mitch est devenu danseur pour les «strip-o-grammes» ce qui veut tout dire et la petite blonde est repartie pour Chicago où sa maman l'attendait. Quant à Barbara, celle qui me sert mon déjeuner depuis le commencement, elle m'a avoué toute heureuse qu'elle avait enfin... épousé un Mexicain! Et dire que tant de jeunes rêvent encore de devenir vedettes à Hollywood. Rien ne les arrêtera, je le sais, mais un sur mille réussira. Et les autres... que deviendront-ils? C'était pourtant là mon rêve étant enfant, mais je peux vous affirmer aujourd'hui à quel point je suis heureux de n'être «qu'un journaliste à Hollywood» et de revenir dans mes tempêtes, mission accomplie.

Chose certaine, si jamais un jour un de mes petits-enfants, un petit blond curieux tout comme moi me demande: «Dis grand-papa, c'est où Hollywood? Je ne lui dirai pas, tout comme ma mère jadis, que c'est un pays à l'autre bout de la terre. Je regarderai ce petit «Rimbaud» qui rêve avec un pied contre son cœur et lui répondrai: «Écoute-moi bien mon p'tit gars, c'est de la magie tout ça, car Hollywood... c'est un pays qui n'existe pas!»

ÉPILOGUE

Elle est finie mon histoire et mon périple est terminé. Je n'ai rien fabulé et je n'ai surtout rien exagéré. Le «journaliste à Hollywood» que je fus durant toutes ces années est très fidèle au portrait tracé dans ces pages que vous venez de tourner une à une. Non, il n'était pas facile à relever ce défi que je m'étais lancé. Non, ça n'a pas toujours été rose de vivre ainsi... même sous les palmiers, mais sachez que je ne regrette aucun des moments de cette longue chevauchée. J'en suis sorti enrichi d'expériences extraordinaires, je n'ai aucun dépit face à tous ces voyages, et ce, malgré les angoisses, l'anxiété et les multiples sueurs qui me perlaient au bout du nez. Vais-je y retourner? Ma roue s'est-elle immobilisée en même temps que le dernier avion qui m'a ramené? Je ne saurais dire... mais je ne crois pas. Je sais fort bien que dès l'an prochain, j'aurai, telle une raison de vivre, le besoin de retrouver Santa Monica, Sunset Boulevard, Beverly Hills... et ma petite Lina. Je sens d'avance que la joute n'est pas terminée et que je serai encore une fois vêtu d'un smoking avec de multiples cassettes dans mes poches, un gala, et des vedettes à tour de bras. Je vois d'ici d'autres folles randonnées sur Laurel Canyon, la vieille bagnole d'une Peggy, les nombreux déclics de Dan, Daniel ou François... et des jus d'orange à en avoir une rubéole! En aurai-je encore la force? Bah! ne dit-on pas que le vouloir est le juste précurseur du pouvoir? Oui, j'y retournerai encore et encore, ne serait-ce que pour revenir chaque fois le coeur heureux de vous faire partager cette passion avec moi. Oui, j'y retournerai en autant que tout se passe encore une fois entre vous... toi et moi!

Denis Monette

Table des matières

Lithographié au Canada
sur les presses de
Métropole Litho Inc.